De vi

Gerrit Krol

De vitalist

AMSTERDAM
EM. QUERIDO'S UITGEVERIJ BV
2000

Eerste, tweede en derde druk, 2000

ISBN 90 214 7262 7 / NUGI 300

DRAMATIS PERSONAE

Johan
Roetie, zijn vrouw

George
Eefje, zijn vrouw

Felix
Barbara, zijn vriendin

I

Het was nog geen twaalf uur, maar George had om stilte gevraagd. En waarom wilde hij dat ze stil waren? 'Nou,' zei hij en hij nam zijn pijp uit de mond, 'we slaan elkaar straks om de oren met de beste wensen, maar waar ik nieuwsgierig naar ben is: wat wensen we onszelf toe. We wensen elkaar het allerbeste,' zei hij, 'maar wat is eigenlijk het allerbeste, voor jouzelf–Eefje.'

Eefje antwoordde met een grimas. 'Da's niet zo moeilijk,' zei ze. 'Gewoon het mooiste beeld van de wereld maken. Ik heb zojuist iets nieuws opgezet. Een groot koebeest. Hol vanbinnen, je kunt er in kijken. Zodat je kunt zien dat ze drachtig is. De vrucht hangt aan twee touwtjes in haar buik. Wat ik mezelf toewens is dat over een jaar blijkt dat ik het mooiste beeld van de wereld heb gemaakt. Een wit beeld wordt het.' Natuurlijk, als elke kunstenaar begreep Eefje dat het geluk geheel in haar eigen handen lag. 'En als het niet het mooiste is, goed, dan het op een na mooiste. Ik hoop in elk geval dat ik er wat van maak en voor de rest interesseert mij de wereld niet zo heel erg, ben ik bang.' Een glimlachje onderstreepte deze uitspraak.

Ze stond op. 'Jongens, wie kan ik een plezier doen met mijn moussakaschotel. Ik denk dat hij nu wel klaar is. In plaats van oliebollen, hè?'

'Je kunt ook nog even blijven zitten,' zei George, 'dan weten we van elkaar wat we willen. Roetie. Wat zou jij willen van het nieuwe jaar.'

'Ik weet niet of ik iets te willen heb,' zei Roetie nuffig, 'maar wensen kan ik het in elk geval.' Ze had haar handen gevouwen en draaide ze binnenstebuiten. 'Ik denk,' zei ze, 'dat ik wens: een wereld met minder kwaad.'

'Dat willen wij allemaal,' zei George, 'wees 's wat specifieker.'

'O,' zei Roetie, 'ik wil best wat specifieker zijn. Vrede in het Midden-Oosten. En in Israël in het bijzonder.'

'Ja, dat kunnen we wensen,' zei George, 'maar ik geloof niet dat we er ook maar één steentje' – 'nee, allicht niet,' zei Roetie, 'tenzij je ernaartoe gaat en de premier doodschiet, dan beïnvloed je de gang van zaken, maar dat was ik niet van plan. Nee, in zo'n oplossing geloof ik niet. Laten we maar hopen op een, nou ja, een gunstige wind.'

Eefje keek naar haar, en veroordeelde haar. Dat ze geen beter antwoord wist te geven. Trut. En toen stak Roetie, hoewel haar tijd eigenlijk al voorbij was, haar vinger op. Zij had nog één wens, een echte wens: dat Johan het komende jaar nou 's een bloemetje voor haar zou meenemen. Hij had zolang ze getrouwd waren nog nooit een bloemetje meegebracht.

Applausje voor Roetie, ook van Eefje, en Johan wist wat hem te doen stond.

'Felix. Wat hoop jij van het nieuwe jaar.'

Felix had juist de tv uitgedaan en viel terug in zijn stoel. 'Niet weinig,' zei hij. 'De Nobelprijs of op z'n minst een bloedstollende ontdekking. Gefaseerde fotosynthese bij kamertemperatuur bijvoorbeeld, maar daarmee bevind ik mij in het gezelschap van zeg nog vijfduizend andere fysiologen. Niet realistisch. Een mooie reis naar Italië met minder regen dan de laatste keer mag ook... En dat ik eindelijk 's mijn rijbewijs haal. Nee, dat heb ik nog steeds niet.'

'Kun je op Saba kopen,' zei George, 'hoef je niet eens te rijden.'

'Ik hou niet van vals spelen.'

'Houen zo. Johan.'

Johan stond op, als voor een spreekbeurt. 'Wat ik hoop te lezen, komend jaar, desnoods van de hand van een theoloog, is een deugdelijk godsbewijs: dat hij bestaat, en in welke vorm hij bestaat, mogelijk met een aantrekkelijke schets van het hiernamaals, dat volgens mij moet samenvallen met het hiervoormaals. We zijn er al geweest. Wie leeft heeft God gezien.'

'Ik kan het woord God niet meer horen,' zei Felix.

'Neem me niet kwalijk,' zei Johan, 'dan noem ik hem Piet, of Nederik. Het is namelijk een Nederlandse God die ik op het oog heb.'

'Is hij met ons?' vroeg Roetie, niet om leuk te wezen.

'Hij is een toonhoogte. Niet iedereen hoort hem. En verder...' Hij zweeg een tijdje en richtte toen een denkbeeldig geweer op een denkbeeldige tegenstander, daarbij het straatjongensgeschreeuw imiterend: 'pau! pau!', en ging weer gehoorzaam zitten.

'Je spreekt in raadselen,' zei George.

'Wat je raadselen noemt,' zei Johan, 'ik gaf alleen maar uiting aan iets.'

'Aan wat?'

'Ik wou dat ik het wist, haha!'

'Jaja,' zei George. 'Goed. Barbara.'

Omdat Johan was gaan staan, ging ook Barbara staan. Spreekbeurt. Ze keek ernstig naar de overzijde van de kamer. 'Ik zie het helemaal anders,' zei ze, 'ik zie een grote draaimolen, genaamd de administratie. Het rad van avontuur. Want dat is het, een avontuur. In mijn persoonlijk leven mis ik nou eenmaal elk houvast.' Ze keek naar de anderen, een voor een. 'Kom ik duidelijk over?'

'Heel duidelijk,' zei George, 'maar wat wil je. Wat wens je voor jezelf?'

'Laat ik heel duidelijk zijn,' zei Barbara. 'Ik hou het kort. Voor mij is het duidelijk, het moet mogelijk zijn, met de kennis die ik bezit moet het mogelijk zijn dat ik binnen een jaar, of anders binnen twee jaar...' Ze keek naar de verte en barstte opeens in tranen uit. Ging zitten en bracht haar handen voor de ogen, zette het snikken voort. Roetie ging naast haar zitten en legde een arm om haar heen...

Al met al kwam er van een inventarisatie van wensen niet zoveel terecht. Het was allemaal niet zo ordelijk als George aan het begin had gedacht. Felix riep hem toe: 'En jij George, ouwe stoomfluit, wat had je zelf gedacht.'

O, George wist heel goed wat hij van het komende jaar hopen mocht. 'Mijn grote wens,' zei hij, 'is weer 's een tocht door de States, in zo'n grote Amerikaan. Mét m'n Hasselblad. Daar ben ik hard aan toe.'

'In je eentje? Of gaat Eefje mee?'

'Goeie vraag,' zei Eefje, op weg naar de keuken zich omdraaiend, 'ik heb namelijk niet zo heel veel zin daarin.'

'Ga ik alleen,' zei George.

'Ik hou namelijk niet van auto's,' riep Eefje.

'We hebben drie auto's,' zei George ter verduidelijking. Hij lachte briesend.

'Je moet niet zeggen we, je moet zeggen ik. Ik, George, heb drie auto's, wij hebben geen auto's. In wezen hebben wij geen auto's. In wezen hebben wij ook geen huis. Dit huis huren wij alleen maar.'

'Wij zijn nomaden,' lichtte George toe.

'Als jullie nomaden zijn,' zei Felix, 'wat ben ik dan wel niet. Ik heb geen huis, geen auto en ik rij er ook niet in.'

'Je hebt zelfs geen vrouw,' merkte Roetie op.

'Júllie hebben een huis,' zei Felix. Hij bedoelde Roetie en Johan. En hij bedoelde: jullie zijn kapitalisten.

'Wij hebben een huis, inderdaad, ja,' zei Roetie met nadruk, 'maar wij wonen er zelf in. En ik hoop dat nog heel lang te kunnen blijven doen.'

Toen sloeg de klok twaalf, allerwegen en het zestal rees overeind om, met een glas in de linkerhand en klaar voor het zoenen, het nieuwe jaar te verwelkomen. Iedereen leek gelukkig, auto of geen auto, huis of geen huis en ook waren Barbara's tranen gedroogd.

George had geroepen dat hij in z'n eentje naar Amerika zou gaan, maar iedereen wist dat hij dat niet zou doen. En ach, iedereen wist natuurlijk veel meer dan iedereen zei. Iedereen wist waarom Barbara in snikken was uitgebarsten. Waarom Eefje de kunst verkoos boven het leven. Waarom Johan zich zo 'onbegrijpelijk' uitte. Typisch Johan.

2

Want wie was Johan? Wat was dat eigenlijk voor een man?

Johan. Was dit zijn leven? Dit was niet zijn leven.

Sommige mensen hebben geluk: zij stellen vragen die ze kunnen beantwoorden. Ze zijn als mathemaat geboren. Hun wereld is de wiskunde, de wetenschap van het ware. Het zwaartepunt van het leven ligt voor hun twintigste. Dan hebben ze al kennisgemaakt met de wonderschone ruimte van ringen en idealen, die getallen kleurt tot priemgetallen; ze hangen als pruimen aan de bomen. De mathemaat. Hij koestert de theorie der fricties (het verschil tussen bijvoorbeeld 3 x 4 en 4 x 3), maar niet alleen de theorie – hij kan die fricties nog uitrekenen ook. Hij is op de hoogte van de raadselachtige macht der isotrope punten in een wereld waar alle afstanden, alle lengtes gelijk zijn aan nul – en op die hoogte is hij God.

Op de leeftijd dat kinderen stripboeken lezen, las Johan met hetzelfde gemak de leerboeken van Schuh, Knopp en Klein – in gotische letters, dat laatste. Zijn brandschone geest gleed slim en geamuseerd door de stof. Elk licht sprong, waar hij naderde, automatisch op groen.

Johan was op zijn vierentwintigste hoogleraar wiskunde aan de Leidse universiteit en hij zou misschien wereldberoemd geworden zijn, en gebleven, als hij tevredener met zijn talent was geweest.

Maar helaas, hij had ontdekt, bijvoorbeeld, dat hij geen groot schaker was. Hij vond dat onjuist, want wie goed is in wiskunde is ook goed in schaken – had hij altijd gedacht. Hij bestudeerde alle courante openingen, maar slaagde er niet in boven het niveau van een tweedeklasser uit te komen. Hij begreep niet waarom hij zo dom was.

Ook als hij met zijn vrouw Roetie een misdaadfilm volgde op de tv, dan had zij achteraf meestal wel begrepen hoe de vork in de steel zat en hij niet. *Dial M for Murder* hadden ze bekeken en hij begreep niet, kon niet navertellen waar al die huissleutels lagen of juist niet lagen, meegenomen, onder traplopers geschoven of anderszins waren verstopt, en met welk doel. Waarom snapte hij dat nou niet? Hij begreep de film niet, hij begreep de logica niet; er was geen hoger plan van waaruit bekeken alles op zijn plaats viel.

Er bleken meer dingen te zijn die hij niet begreep.

'Komt omdat je de mensen niet begrijpt,' zei Roetie.

'En hoe komt het dan dat ik de mensen niet begrijp?' vroeg Johan de volgende dag.

'O, heel simpel,' zei Roetie, 'er steekt niet genoeg kwaad in jou.'

'Een sterke zet van je tegenstander moet pijn doen, heb ik 's gelezen, met instemming. Maar voel jij dat?'

Niet in de wieg gelegd voor enige vorm van discussie, Johan. Elk weerwoord, elke suggestie ervaart hij als een frontale aanval. Je ziet de schrik in zijn ogen.

Een vrouw die hem omarmt verwart hem.

'Ik sla mij een bres en ontkom.'

Een uitval, zal hij later zeggen. Een teken van leven.

De schreeuw van een man die tot leven komt. Ben ik soms niet vaak genoeg kwaad? Hij neemt iemands leven over. Wat hij vernietigt is het grijze leven van zichzelf.

Het gaat over Johan, dit verhaal. Het is zijn gebeurtenis. Om het hoofd van deze man tekenen wij een cirkel.

Hij wordt de hoofdpersoon.

De kleur die zijn leven krijgt.

Arme Johan. Fietsend naar zijn werk neemt hij zichzelf een interview af.

Fietsend naar zijn werk rijdt hij de poort voorbij. Rechtop, de handen los van het stuur.

'Een vrouw,' vroeg de interviewer hem, 'als u een vrouw ziet schreien, wat gaat er dan door u heen?'

'Wat er door mij heen gaat? Emoties? Ik weet het niet. Je voelt het tussen je benen, hè?'

Johan hield in. De journalist moest hem kunnen bijhouden. Het bloknootvel was volgeschreven, hij sloeg het achterover.

'Hebt u dat vaker ervaren?'

'Nee,' zei Johan in alle eerlijkheid. 'Het was voor het eerst.'

Maar ook zou het vraaggesprek over Roetie moeten gaan. Per slot is zij degene die hem het beste kent. Hij is de boeiendste man die ik ken, liet hij haar zeggen. En opnieuw over Barbara. Bijvoorbeeld: waar hij haar voor het eerst had gezien. Met Felix, een jaar of wat geleden. 'Toen was het nog een kind,' zei hij. 'Maar wel kapsones. Toen al.' Enzovoort.

Hij vertelde hoe ze schreide, haar gezichtje. Hoe ze het verdriet op haar nagels verbeet. Had ervaren hoe dat voelde, als man.

3

Eefje had een nieuwtje. Ze zorgde ervoor dat het clubje bij elkaar kwam. Kwam Johan ook? Barbara kwam niet. Die had de griep.

Eefje was stil.

Ze wachtte tot iedereen stil was. Om op het juiste ogenblik, en haar stem daalde terwijl ze sprak, bekend te maken dat het Museum van Schone Kunsten in Gent een schilderij van haar gekocht had...

Ze zat aan tafel en ontving de blijken van blijdschap, oprecht of geveinsd, dat deed er niet toe.

'Goh, wat ontzettend leuk voor je.' (Felix, oprecht)

'Werkelijk?' (Roetie, die zich leek te verbazen)

Eefje glimlachte, een zacht schijnsel verlichtte haar gezicht: zie, ik ben het en zij vertelde hoe de koper, die anoniem wenste te blijven, bijna een jaar lang op twee schilderijen een optie had gehad. Dát wisten we, zei Roetie; ze wilde zeggen: tot zover waren we bereid het leuk te vinden. 'Mag ik vragen hoeveel je ervoor gekregen hebt?'

'Hoeveel ik ervoor gekregen heb? Anderhalve ton,' zei Eefje schaamteloos.

'Die musea hebben geld,' legde Roetie aan de anderen uit.

'Toch zie ik je zelden aan het werk,' zei George.

'Ja, dat komt, schat, omdat we mekaar sowieso zelden zien,' zei Eefje met een glimlach naar de anderen.

'Dat zal het zijn,' zei George, ook naar de anderen. De anderen – dat is de zaal. De zaal bepaalde wie gelijk had, wie van de twee.

Johan kwam laat. Hij kwam zijn vrouw halen, maar niet dan nadat hij eerst nog 's het glas had geheven op het succes van Eefje. Natuurlijk, Johan weet zich als het moet goed te gedragen.

Wie hij miste was Barbara. Jammer. Hij had haar graag gezien.

Eefje: 'Mijn eerste atelier was een stookhutje. Toen we nog in Wijhe woonden. Ja, ik was nog thuis. Aandoenlijk. De foto's die papa maakte. Ik moet ze nou toch eindelijk 's inplakken. Ze verkommeren.'

'Niet wetend,' zei George, uitleggend aan de anderen, 'dat we ze jaren geleden al ingeplakt hebben.'

Er stonden wel tien fotoalbums. George klom op de stoel, greep blindelings en kwam weer beneden – met het juiste boek: Eefjes jeugd op de boerderij die geen boerderij meer was. Maar het stookhutje was er nog wel en, kijk 's aan, daar stond ze. De handen in de zij en de vorsende kunstenaarsblik gericht op de verte.

'Wat een schat, hè?' zei Felix.

'Toen was ik nog serieus,' zei Eefje.

Er was een discussie over het jaar. 'Wijhe 1975' stond er met witte inkt, maar Felix dacht dat dat 1978 moest zijn. 'Klopt,' zei Eefje, 'want dat truitje had ik pas gekocht. In Stuttgart. Dat was in '78.'

'Hoe weet jij dat nou,' vroeg George ongelovig.

'Door de lichtval,' zei Felix. 'Anderen proeven een wijn en noemen het jaar. Ik ben een kenner van het licht. Geef mij een foto, een ansichtkaart en ik zal je zeggen in welk jaar hij genomen is.'

'Lijkt me een sterk verhaal,' zei George.

'Ik zie ontzettend veel foto's,' zei Felix, 'dat verklaart het.'

George hinnikte.

'Dat verklaart,' zei Felix, 'dat je me uitlacht.'

'Ik lach je niet uit. Je bent een genie.'

'Ik had meer boezem toen,' zei Eefje.

Later op de avond kregen ze het over het probleem of het pikgedrag van een kuiken aangeleerd dan wel aangeboren was. 'De Chinees Kuo,' zei Felix, 'had, door de eierschaal van een ongeboren kuiken door te knippen, laten zien dat gedrag aangeleerd was.' 'Aangeboren,' vond Johan. 'Aangeleerd,' zei Felix.

De mensen horen graag iets nieuws. En ze horen graag dat de mens veranderd kan worden. Andere omgeving, ander mens. Ander hart, ander mens. 'Vooral als het de vrede dient,' zei Roetie. 'Jawel. Als je beweert dat het pikgedrag van een kuiken aangeleerd is, is het ook af te leren. Vrouwen willen altijd vrede,' mompelde Johan en die opmerking was natuurlijk niet gepast. Hij vroeg Felix hoe het die Chinees gelukt was een eierschaal door te knippen. 'Ik heb,' zei hij, 'het artikel ook gelezen in het Engels, daar heeft hij het over *sawing*, hij zaagde het ei en dat lijkt mij veel waarschijnlijker. Maar de vraag is, wordt het embryo daar niet wakker van. Beïnvloedt zo'n ingreep niet de rest van zijn waarnemingen?'

'Ik zeg precies hetzelfde,' zei Johan, op weg naar huis. 'Overigens, het artikel van Kuo is van 1929. Het heeft alleen archeologische waarde. Ik weet niet waarom hij het naar voren bracht. Het probleem is niet nieuw. Vergelijk het met de slinger van een klok. Zo'n klok die tiktak zegt. Niet tiktik, maar tiktak, omdat het een gewone goedkope klok is, met een goedkoop anker. Zodat de klok met twee tongen spreekt. Zoiets,' zei Johan. 'Bijna elk verschijnsel spreekt met twee elkaar tegensprekende tongen. En die wil je allebei horen.'

'Zoiets moet je 's opschrijven,' zei Roetie.

'Ja,' grinnikte hij, 'goed idee.'

'Felix,' zei ze, 'schrijft er een heel dik boek over.'

'Hij heeft het dan ook niet begrepen,' lachte Johan.

4

Hij keek het raam uit. Het viel hem niet moeilijk te geloven dat een mens een schaduw met zich meedraagt, een schaduw die alle dingen stuurt en regelt...

Wat het leven moeilijk maakt, voor een mens, dat zijn de anderen. Die vormen, zo bedacht Johan, met z'n allen een reuzegrote spiegel. In de ander zie je jezelf het beste, zo is dat nu eenmaal. Je ziet hoe waardeloos je bent. En dat was de reden dat hij telkens op de vlucht sloeg...

Johan: ik weet niet wie er aan mij denken. Niet veel. Maar Roetie wel. Ik geloof dat Roetie erg veel aan mij denkt.

Johan zou verbaasd staan. Ze heeft zo vaak gezegd wat ze van Johan vindt. In het bijzonder tegenover George is ze erg vertrouwelijk geweest. Het houdt haar bezig. 'Hij is een goed mens.' Ze vindt zich voor Johan 'de verkeerde vrouw'. Maar zonder Roetie was hij nooit zover gekomen. En zonder hem was zij... 'Ze heeft zich voor hem opgeofferd.'

'Ach, ik weet niet,' zei Felix, 'Roetkop weet deksels goed waar haar belangen liggen. Met zo'n man, lijkt ze te zeggen, staat het me vrij er een man bij te nemen.'

'Werkelijk? Wie is het?'

'Twee dingen. Ik wéét het niet. Maar het interesseert me óók niet.'

Ja, Roetie heeft het vaak over hem. Met George. Roetie is vaak bij George. 'O, wist je dat al. Ik praat met George,' zegt ze, 'over dingen waar ik met Johan niet over praten kan. Ik praat namelijk over Johan zelf. Johan is een probleem. Ik praat daar graag over.'

En George. Wat voor man is dat eigenlijk. George-met-de-pijp. Wat doet hij voor de kost. Controleur? Ja, hij heeft een hele ploeg controleurs onder zich. Brandmelders. Hij controleert brandmelders. Dat is nuttig, vond Roetie, want als je huis in de fik staat, dan wil je wel dat de brandmelder werkt. Maar in gezelschap, zei Johan, is hij wel wat veel aan het woord. Vaak over Amerika, daar is hij namelijk een keer geweest. Hij rijdt nog steeds in 'een automaat'. Uit heimwee, maar hij zegt dat er gewoon geen betere auto's zijn.

'Je gooit er maar benzine in en hij rijdt.'

Beetje een opschepper, die George. Maar dat Amerika, dat zal hij wel nooit meer vergeten.

'Hij is een halve Amerikaan.'

Als de telefoon gaat bijvoorbeeld, neemt hij op met hallo. Vroeger noemde hij zijn achternaam, maar nu zegt hij alleen hallo.

'Wat hij met Amerika heeft,' zegt Roetie, 'heb ik met Israël.'

Het is zonde. Op zich zijn de mensen interessant. Stuk voor stuk. Maar als je ze in gezelschap hoort praten, kunnen ze je danig vervelen.

'Dat valt mij vaak op van mezelf,' zei Johan, 'hoe onbenullig ik uit de hoek kom vaak. Terwijl ik...' – hij bedoelt, zijn eigen gedachteleven is een diepzeefauna met talrijke doorkijkjes; daar ben je niet snel op uitgekeken.

'Ja kijk,' verklaart George, 'dat zegt mij niks. Ik geloof best dat Johan veel te vertellen heeft. Maar het komt er niet uit, hè?'

Er zullen vrouwen zijn, die Johan een raadsel vinden, een

boeiende man. Maar geen van die vrouwen, helaas, heeft de eer hem te kennen.

Johan, de onbekende. Zie hem door het leven gaan.

'...hoe ik de liefde zie.'

'Ben ik een warme persoonlijkheid?'

'Nee,' zei Roetie, 'het spijt me dat ik je moet teleurstellen, maar je bent geen warme persoonlijkheid.'

5

Barbara had de bus genomen. Ze had de hele ochtend niets uitgevoerd. Op de bank gelegen en naar buiten gekeken, naar de daken en de mussen zien af- en aanvliegen. Vogels kunnen niet stilzitten. Maar zij ontleende er rust aan, zoals je rustig kunt worden van een stromende rivier. Je besteedt je beweging uit aan iets anders.

Zo kunnen twee mensen leven van elkanders verschillende aard.

De beslagen ruiten gaven haar een gevoel van warmte. Ze omlijstten het uitzicht op de sneeuwranden in de straten – zwart en vuil en wat verse sneeuw er overheen. Vastgevroren sporen, opgevuld door stuifsneeuw.

Roetie had d'r arm om haar heengeslagen toen ze wat troost nodig had en daarom ging ze nu naar Roetie. Niet om weer getroost te worden, maar 'op basis van gelijkwaardigheid'. Misschien werd Roetie een vriendin.

Had ze moeten bellen? Barbara hield ervan verrast te worden en dacht dat anderen daar ook van hielden.

En nu trof ze Roetie niet thuis.

Johan wel.

Ze riep om hulp en nu kwam die hulp van Johan.

'Is Roetie er niet?' vroeg ze nog, 'ik kwam eigenlijk voor haar.'

'Dat betekent,' zei Johan, 'dat je eigenlijk voor niets gekomen bent.'

En dat ze er dus maar weer vandoor ging. Maar ze was gekomen met de bus en er zou niet meteen weer een bus voorrijden om haar mee terug te nemen. Johan zag haar in dubio staan: haar armen los van haar lichaam: of ze nu...

'Je kunt beter even binnenkomen.'

Zo kwam Johan onverwacht in de keuken te staan, bezig koffie te zetten voor Barbara die in de woonkamer om zich heen stond te kijken. Even later zou ze haar gastheer vertellen hoe ze zich 'getroost' voelde, toen tijdens die huilbui Roetie een arm om haar heen had geslagen.

Johan knikte. Hij wist er alles van.

Tranen – die door Roetie werden weggeveegd en plaatsmaakten voor een lach, waarop nieuwe tranen volgden. Vreemd dat je dat zo meemaakt...

Ze stond bij zijn bureau.

'Wat ben je aan het doen?'

'Aan het doen?' Hij antwoordde dat hij bezig was met een artikel voor de *Contemporary Mathematics*, over de functies van Fuchs... Maar goed, dat deed hij voor de faculteit. Minstens zo leuk was de klus waar hij in zijn vrije tijd aan werkte: een wiskundige beschrijving van de heteluchtmotor. Daar was hij op het instituut mee bezig, niet hier. Tjonge, wat geurde die meid... Meestal zondags.

'Wát voor motor?'

'Een heteluchtmotor.'

'Leg me dat 's uit.'

Zie je wel, dat wilde ze weten. Nou, dat deed hij graag. Want een vrouw uitleggen hoe een zuigermotor werkt is een very... een very... Hij lachte hard. 'Het principe is eenvoudig, hoewel niet logisch op het eerste... Je verwarmt lucht. Die zet uit en omdat hij uitzet,' lachte hij, 'zet hij een zuiger in beweging. Je koelt diezelfde lucht af, die krimpt en haalt de zuiger weer terug. Snap je hoe dat gaat? Ongeveer het eenvoudigste systeem dat er is en toch is er tot op vandaag niemand die het principe...'

'Wat is het nut van zo'n motor?'

'Het is een motor die geen geluid maakt.'

'O, dat lijkt me erg nuttig. Ik begrijp het. Maar wat is nu het onlogische?'

'Het onlogische? Dat de pijlen... dat in bepaalde omstandigheden koud hetzelfde is als warm. Dat de pijlen, zeg maar de krachten elkaar...

...aan een touwtje liet spartelen. Draaiend, het touwtje, tussen duim en wijsvinger. Ze liet hem niet vallen, ze speelde met hem... Vond ze leuk. Dat die man niet wist wat er met hem aan de hand was.

'Wat?'

'Aan de hand. Wat er met jou aan de hand is.'

Ze omhelsde hem, sloeg haar armen om zijn nek.

Wat ze niet aanrichtte bij deze man!

Een Storm van Passie. (De brand zou aangestoken zijn.)

Dat ze met hem doen kon wat ze wilde – omdat hij niets wilde.

Dat zij vroeg of hij *Armance* gelezen had, een roman van Stendhal die, verduidelijkte ze, over impotentie ging. En dat ze hem toen zomaar een ★★★★★ noemde.

Grapje?

Nee, het was geen grapje.

6

De zon stond laag, het vroor. Johan gleed rechtop, dan weer op het ene been, dan weer op het andere been terwijl hij zijn handschoenen aantrok. Hij was een goede schaatser en niet bang om de plas over te steken – die geen plas meer was, maar een zwarte ijsvlakte waarop nog niet iemand voor hem zijn witte sporen had achtergelaten, hij was de eerste. De hemel was blauw, en het ijs ook. Hij reed tussen twee luchten, over de wolken, en galmende scheuren meldden hem dat de tocht naar de overzijde niet zonder gevaar was.

Hij woog niets. Een veertje zou je bijna zeggen, maar een veertje komt niet vooruit. Hij was zwaar en sterk genoeg om een flinke snelheid te halen. Je voegt aan de atmosferische druk nauwelijks enige druk toe – omdat je zo snel gaat, omdat je de kracht deelt door de tijd...

Johan was ernstig gestemd door de gebeurtenissen – die hij niet gewild had. Maar nu het noodlot had toegeslagen en de dingen waren veranderd, nam hij ze zoals ze waren.

Hij aanvaardde de Nieuwe Orde, ging diep door de knieën en legde de handen op z'n rug. De poollucht sneed hem langs de oren. Je moest op dit glasdunne ijs wel de snelheid van een vogel hebben.

Maar niet elke grens is precies een grens. Vergelijk het met de subtiele uitslag van een barometer, je tikt ertegen en de wijzer corrigeert zich. Zo kun je vooruit vliegen en, al schaatsend, nieuw ijs maken.

Als ik er doorheen ga, was Johans gedachte, dan is dat mijn straf en als ik er niet doorheen ga, dan is het doordat ik in de verlenging speel.

Als ik de overkant haal, is mijn delict verjaard.

Hij bereikte de overkant. Op het zonbeschenen terrasje zat een enkel stel, in winterkleren. De kelner, die zojuist twee bekers dampende chocolademelk had neergezet, vroeg waar hij vandaan kwam.

Johan, op z'n schaatsen over het hout gekomen, wees over zijn schouder. Van de overkant.

'Maar dat is onmogelijk,' riep de kelner ontzet. 'De plas ligt nog open!'

Johan grinnikte naar de wintergasten en feliciteerde zichzelf door zijn handen ineen te slaan. 'Goed dat ik het niet geweten heb!'

'Jou.'

Waarom had hij 'jou' gezegd? Ze was een vrouw en misschien was dat 't wat hij bedoeld had met 'jou': het woord dat twee mensen samenbindt en waarvan hij haast nog meer geschrokken was dan zij. Per slot was ze vrijwillig met hem meegegaan, het schuurtje in – gebogen, om te voorkomen dat ze haar hoofd zou stoten...

7

Roetie was de eerste aan wie hij kon vertellen wat hem overkomen was. Hij wachtte daar nog even mee. Hij vertelde haar voorlopig alleen dat er 'een wereld was afgesloten'. Roetie dacht dat hij zijn laatste onderzoek bedoelde en zette een gesprek in werking, maar–NO ENTRY–hij maakte de wuivende gebaren van iemand die niet op de film wil.

Roetie trok haar wenkbrauwen op.

'... als ik me niet vergis.'

Nou, een Roetie vergiste zich niet.

Daar, in de donkere hoek, zat een Johan die ze niet herkende. Het ene been horizontaal op de knie van het andere. Achter die constructie een somber gloeiend vuur.

Hij streek met de hand door zijn weerbarstige haar. Hij stond op, ging naar de spiegel en zag daar, niet eens tot zijn verbazing, de man die hij altijd had willen zijn. Hij was niet gewoon lang naar zichzelf te kijken. Het was echter niet hijzelf die keek, maar de man aan de overzijde die vanuit het wak van de spiegel hem observeerde en dwong terug te kijken.

Dat viel Johan niet tegen. Een harde, lichamelijke kop met ogen waaruit geest sprak. Een kop niet weggedoken tussen een paar hoge, intellectuele schoudertjes, maar de kop van een persoonlijkheid.

Wat Johan zag was de jongeman die hij had kunnen zijn als hij geleerd had een grote mond te hebben en op te komen voor zichzelf.

Een grote bek. Had hij niet.

Mensen wie alles meezit hebben hun grote mond op zak en zullen hem misschien nooit nodig hebben.

Dat hij daarom nooit een grote mond had opgezet: omdat hem alles had meegezeten in het leven?

Hij stond bij het raam, in gepeins verzonken. Man. Op negenendertigjarige leeftijd man geworden. Zwijgzaam geworden.

Roetie stond bij de deur, klaar om naar de keuken te gaan, maar voor zij de kamer verliet, zag ze bij het raam een man die niet langer haar man was–

–die niet langer haar man was, maar haar zoon. Haar grote zoon.

Roetie schoof een stoel bij. Hij stond nog steeds peinzend bij het raam. Roetie schoof een tweede stoel bij en zei, ga's zitten.

Hij ging zitten, een beetje onverschillig, wat een grote zoon niet altijd misstaat en Roetie vroeg of ze mocht weten wíé.

Hij zag haar oude gezichtje, dat hunkerde naar nieuw leven.

'Mag ik raden?'

Hij glimlachte. 'Ga je gang.'

Ze vertrouwde op haar intuïtie. 'Barbara.'

Hij glimlachte. 'Bijna.'

'Bijna? Waarom bijna? Toch niet Eefje? Ken ik haar?'

Hij glimlachte. 'Ik zeg niks.'

'Het is nog te vroeg, denk je?'

'Zoiets.'

De tijd van leugentjes hadden ze achter zich. Daarom gaf hij er, zei hij, de voorkeur aan te zwijgen.

Hij 'ging zijn gang', de daaropvolgende weken.

Wij moeten constateren dat het hem goed gaat.

Johan stak de straat over.

...dat hij gewoon de straat oversteekt.

Je ziet het niet van jezelf, maar je voelt het. Alsof je voor de wind gaat.

Een soepele tred. Dat je ineens een soepele tred hebt van jezelf.

Dat alles is mogelijk, zodra je niet langer bang voor de liefde bent. Als man. Vrouwen zijn niet bang.

Vrouwen presteren evengoed. Maar ze houden hun mond. Ze houden hun grote mond.

We kunnen constateren dat Johan de laatste tijd...

'Wat jij de laatste tijd hebt...'

Johan glimlachte niet. Hij voelde zich aantrekkelijk voor vrouwen die zeiden 'wat jij de laatste tijd hebt'. Dat wilden zij ook wel hebben. Zin in het leven. Zin in het leven heb je als je zelf leeft. Zin om het leven te verslinden.

Dat je wilt kunnen zeggen: 'Ik heb geleefd.'

Eindelijk een bron van leven: jij.

'Met m'n jeugd heeft het niets te maken. Ik ben niet historisch. Iets kan elke dag gebeuren.'

De ware eenzaamheid.

Dit is het verhaal van een renaissance.

Andere mannen hadden... Jij niet. Je kwam alleen plotseling in bloei te staan, wie had dat ooit gedacht.

De kans van je leven.

Vrijheid. Je kunt doen en laten wat je wilt, op zo'n manier. Als je los bent. Je bent los en royaal. Nogmaals, zoals je op straat loopt.

Je hebt een wond. Een heel karwei, voor het lichaam, die wond dicht te krijgen. Maar als je gezond bent van nature, herstel je snel.

De wond die geweten heet. Dat je je afvraagt of je iemand pijn hebt gedaan, of nog niet. Dat je iemand teleurstelt. Je wilt niet tegenvallen en daarom, als je iemand voortdurend pijn doet, maak er dan een eind aan. Aan je eigen leven of aan het leven van degene die je voortdurend pijn doet. Durf te doden. Ja, misschien is dat beter. Het is vreemd dat je iemand pijn kunt doen zonder dat je daarover nadenkt, ook later niet. Als je de ander niet kent. Soms kent hij jou ook niet en dan schuif je, pijn of niet, eenvoudig langs elkaar heen.

8

De dag dat ik uit vissen ging, vertelde Johan, de eerste keer. Toen was alles nog eenvoudig. Met mijn neefjes in Oostzaan. Emmer, hengel, aas. Dobber. Hoe je die opschuift langs het snoer. Ik had een zakdoek op het hoofd, met een knoop op elk van de vier hoeken. Om geen zonnesteek te krijgen. Ik zat er nog niet lang of mijn dobber was verdwenen, ik zag hem niet meer. Dat betekende dat ik beet had. Ik haalde op, wat niet eens eenvoudig was. Mijn hengel stond in een halve hoepel, aan het eind waarvan die vis boven water kwam, een enorme baars.

Het was de grootste vis, die dag. We gingen naar huis en ik had de grootste vis gevangen. Een jaar later gingen wij weer en toen ving ik alleen maar kleine visjes, ik kon er niets meer van.

De vis, de haak waarmee je zijn bek openscheurt. En dan gooi je hem terug in het water omdat hij te klein is.

Die vissen krijgen een persoonlijkheid.

Je wordt weekhartig. Je denkt erover na en je slaat geen vlieg meer dood, uiteindelijk. Je plukt geen bloemen meer, níét als ze nog bloeien.

'Ik maakte eens,' vertelde Johan, 'de doodsstrijd mee van een vlieg in een web. De razende propeller van een vliegtuigje dat stil blijft staan. De spin kwam tevoorschijn, op hoge poten. Zes om te lopen en twee om de prooi verder in te wikkelen. Hoe die poten, al dansend, telkens de draden op hun plaats vonden was een wonder. Beide voorpoten waren gelede, ijle houwelen, die om beurten toesloegen.'

'En toen,' zei Johan, 'deed ik wat ik beter niet had kunnen doen. Ik bevrijdde de vlieg uit zijn benarde positie. Hij liep een tijdje rond, vloog tegen het raam, waar hij het gewone domme vliegenleven hervatte en vervolgens viel hij neer, dood op zijn rug. Maar ook de spin heeft niet lang meer geleefd. Beide hebben hun eigen pijn vernietigd.'

'Dan weet je wat mij drijft,' zei Johan en hij wierp zich achterover in zijn stoel, als iemand die...

...hier niet thuishoort. Daardoor valt hij op. Niet thuishoort in de straat waar hij honderden keren gelopen heeft en die zijn straat is en waar hij thuis is. En nu niet meer. Het moet iedereen opvallen hoezeer hij veranderd is.

Dat hij een bruine kop heeft van de zon – komt niet van de zon. Dat hij glimlacht komt niet door het mooie weer. En zijn energieke pas – het komt, precies, allemaal vanbinnen uit, dat zie je zo. Het komt allemaal door 'Barbara' – en dat weet niemand.

Die aanhalingstekens, dat zegt niemand wat.

Praat-ie ook niet over.

Wat hij voelt. Alles wat hij voelt is nieuw. En dat is – hij trekt even met zijn schouders, zoals iemand die naar het juiste woord zoekt – dat is geweldig. Zeg ik. 't Is nieuw. 't Is vol.

Dat je in je handen wrijft omdat je zin hebt in iets.

Dat je een restaurant in loopt en handenwrijvend roept van wat schaft de pot vandaag.

Elk restaurant zal de vlag uitsteken voor zo'n klant.

In plaats van een stok die doodstil staat in de wind. Een witte stok met twee strakke touwen en een oranje knop.

Vroeger en nu, dat verhoudt zich als zwart tot wit. Als zwart-wit tot kleur. Vroeger zag hij de wereld als een stapel zwart-witfoto's, grijs, witte lucht, rode auto's die zwart zijn en nu ziet hij de wereld in kleur en hij ziet hoe mooi alles is. Dit is leven.

De sterke heeft geen gevoel voor de persoonlijkheid van de zwakke. Hij doodt de zwakke en 'bedoelt daar verder niets persoonlijks mee'. Ook als hij hem helpt, gaat het mis. Hij 'heeft het niet zo bedoeld'.

'Soms heb ik het gevoel dat ik een even zware misdaad moet begaan als jij, om te bereiken dat je niet bang meer voor me zult zijn.' Stendhal. Een raadselachtige opmerking, maar niet als je het boek gelezen hebt.

Als je de omstandigheden, als je alles wat je benauwt van je afsnijdt – wat een opluchting dat geeft.

Als je je ontdoet van je vijand, door hem/haar te omarmen.

Als je dat kunt. Je moet het kunnen.

Een vrouw. Vooral als het een kreng is. Ja hè?

Toch wel, hè?

Volgende week: *Roetie betrapt*.

9

Een vis in een vijver. Met het zwenken van zijn staart was George verdwenen. Hij liep in een steeg, waar niemand hem zag en als er wel iemand was die hem tegemoetkwam, zou hij van hem weg kijken, zoals je in een openbaar toilet elkaars blikken mijdt. Een straatje waar niemand woonde, bestemd om er te laden en te lossen. Een trottoir slechts aan één zijde, en niet breder dan vijftig centimeter.

Het straatje der zonde. Het was een goed straatje – als je gevolgd werd zou je dat kunnen horen. Je kijkt niet om, want dat zou argwaan wekken – bij degene die jou niet volgt.

Heerlijk voorspel, dit straatje, dat niet eens een naam had. Het had een zigzagknik, als bepaalde runentekens. Na de twee bochten werd het nog smaller, al keek je nu uit op de Pieterskerk. Als dat een moskee was geweest, zou je misschien precies één minaret hebben kunnen zien, zo smal.

Dierbaar straatje. Want aan het eind was er de deur waar je de sleutel van had. Je stak hem in het slot en ging naar binnen, sloot de deur en, weer, niemand kon hebben gezien waar je, rara, zo snel gebleven was.

Je bevindt je in het huis van de universitair docent Felix. Je loopt de gang in, je fluit ten teken dat je bent gearriveerd, draait elegant de trap op met twee, drie treden tegelijk. Je bewegingen enerzijds en het schamele studentenhuis anderzijds – ze passen in elkaar als raderen, want hoe vaak ben je al niet deze weg naar boven gegaan. Want boven, daar moet je wezen. In de mooiste en grootste kamer van het kleine huis. De slaapkamer. Het bed. En in dat bed ligt je bruid. Een bekend gezicht, dat lacht. Jawel. Roetie. Zie hoe ze daar klaarligt, klein en joods – zonder kleren aan. En jij bent groot, in haar ogen, je machtige schouders, borstkas, handen als kolenschoppen en dat komt allemaal bij haar in bed gekropen.

Een keer had hij een gedichtje voor haar meegenomen, zelf gemaakt, waarin verwoord stond, op rijm, hun onvermogen langer dan drie tellen te wachten met kussen. Eerst praten, zei hij, nu ook weer. Ja, eerst praten, zei ze en ze schoof haar lichaam als een lepel onder het zijne.

Maar dan was er tijd, en rust, om te praten. Effetjes bijpraten, want er kan veel gebeuren in een week. Effetjes roddelen. De laatste kuren van Johan. Dat hij zijn haar geverfd had. Ja, moet je nagaan. En hoe schandalig Eefje hém, George, bedroog met Felix.

'Jij bedriegt haar toch ook?'

'Ik bedrieg haar in het verborgene, dat mag. Want niemand weet het, zogenaamd. Wat zij doen, die twee, doen ze in het openbaar en dat kan niet. Is niet fijntjes.'

Het overspelige stel zag elkaar elke week. Elke dinsdag, om precies te zijn.

Waarover praatten zij?

'Pluk de dag,' zei Roetie. 'Alle dagen die ik geplukt heb – kijk om je heen en zie al die verlepte dagen, bedorven jaren. Ik leef! Maar terugkijkend – kunnen we zeggen dat we hebben geleefd? Zou je het over willen doen? Alles?'

'Kunstenaars,' zei George, 'die zitten goed. Die zitten gebeiteld. Een oeuvre achterlaten, god allemachtig. Dan heb je je leven toch wel goed besteed. Vind je niet?'

'We zijn geen kunstenaars, schat, en geleefd hebben we ook niet – nee,' zei Roetie, 'ons soort mensen moet niet terugkijken. Ons leven stelt niets voor. De enige reden misschien voor mij om terug te kijken zijn die twintig, dertig keer dat ik met een man in bed gelegen heb en me dat herinner omdat het kwaliteit had, dat zijn de toppen in mijn bestaan geweest. Die zou ik wel willen inlijsten, weet je dat? My thirty memorable games. Dat zou ik–'

'Héél jammer dat wij niet creatief zijn,' zei George.

'Ik zat laatst,' ging hij voort, 'kwam laatst bij het opruimen een doos vol spullen tegen, begin jaren zeventig. Alles wat ik toen bewaarde omdat ik het belangrijk vond. Manifesten, stencils, weet je nog wat stencils zijn? Tentoonstellingen, brieven, computerkunst, toen al, zwart-wit, twaalfcentse postzegels, uitroeptekens–dood, meisje, dood als een pier en toen zag ik mezelf, met een pen in de hand aan het bureau om gefotografeerd te worden vanwege een tienjarig jubileum, met een vulpen klaar om te schrijven en een stropdas voor. Zo treurig, als dat achteraf je leven blijkt te zijn geweest.'

'Heb ik met vakantiefoto's,' glimlachte Roetie. 'Ik háát vakantiefoto's. Ik háát vakanties.'

'Dat heb je me al honderd keer verteld,' zei George, 'maar dat geeft niet.'

'O, geeft dat niet, wat heerlijk.'

George stond zijn stropdas te strikken. Per slot was het bijna half twee.

Inderdaad, wie verboden dingen doet heeft meestal haast. George liep terug naar kantoor (door hetzelfde steegje) en Roetie liep een minuut later een heel andere kant uit. Je kon duidelijk zien dat die twee niets met elkaar te maken hadden. Ze kwam terug bij haar auto aan de gracht, binnen de toegestane parkeertijd, maar toch met een bonnetje achter de ruitenwisser. Geen bonnetje, maar een papiertje dat ze openvouwde, en las. Ze vouwde het dicht. Ze kreeg een misselijk gevoel en sloot haar ogen.

Haar eerste gedachte was: Johan. Degene voor wie ze haar amoureuze uitstapjes zo kunstig verborg moest ook de ontdekker zijn–de engel die hen zou verdrijven uit het paradijs. Maar uitgerekend deze dag zat Johan op een congres in Leeuwarden–waarheen hij al de avond tevoren was afgereisd.

‘Ik vind het knap vervelend,’ zei ze een week later, tussen de lakens en de kussens. Ook George, hoezeer in zijn blootje, was een beetje aangeslagen, haar liefkozingen ten spijt.
‘We worden bekeken,’ zei hij. ‘Dat mogen we vaststellen.’
Eefje? Nee, Eefje niet.

Juist door zijn nulwaarde kan de anonymus wanstaltige afmetingen aannemen en zich overal hebben verstopt. Je loopt in een volle straat en je denkt dat hij aan de overzijde loopt. Je denkt aan een man, meer dan aan een vrouw. De straat is leeg op één wandelaar na en je denkt, dat is ’m.
Roetie zette haar auto voortaan ‘ergens anders’. Zo hadden ze de snuffelende hond van zich afgeschud en kwam het normale leven weer op gang.

‘Je moet ons samenzijn zien als een deel van zijn therapie.’
‘Ook al heeft hij er geen weet van?’
‘Ook al heeft hij er geen weet van. Als het goed met ons gaat, gaat het met hem ook een beetje beter. Daarom mag hij dit niet weten. Iedereen mag het weten, begrijp je? Maar hij niet. Hij juist niet.’
Knap pervers, als je begrijpt dat ze het over Johan hebben. Johan, die niks mag weten – weet meer dan zij. Johan is niet dom.
Roetie zat op het laken, als de jongedame aan het ontbijt in het gras. Bloot en ongegeneerd. George had tenminste nog een broek aan. Hij stopte zijn pijp en stak er de brand in. Geen hemd, maar wel een broek.
Geen broek, wel een pijp – ook een optie.

‘Je praat over hem alsof het je zoon is,’ zei George.
‘Nou, dat is ook zo.’
‘In elk geval beleef jij meer met hem dan ik met mijn Eefje beleef. We praten al geen maanden meer met elkaar, weet je dat? Alleen de zakelijke dingen, maar niet over wat we overdag beleefd hebben.’

‘Vreselijk.’

‘Dat ís vreselijk. Maar het is ook: schoon. Ik val je er niet mee lastig, om de eenvoudige reden dat ik niets heb om je mee lastig te vallen. Omgekeerd, jij maakt me wel heel vaak deelgenoot van jouw zorgen.’

‘Lastig?’

‘Ik wil geen tweede Eefje zijn.’

‘Natuurlijk niet.’

Zo praatten zij, die twee. Op de toppen van hun bevinding.

‘Laat ik het dan anders zeggen. Ik benijd de kunstenaar om zijn recht van de sterkste. Alleen de beste kunstenaars blijven over. De rest sterft af. Zo is de natuur. En zo gedragen kunstenaars zich. Kunst is niet humaan.’

‘Kom ’s wat dichter tegen mij aan,’ zei Roetie, ‘je hebt zo’n vijandige blik in je ogen.’

‘Schilderen is een lichamelijk vak. Je ziet het toch, als ze bezig zijn. Zo’n penseel. Er zijn dingen die niet worden gezegd. Die worden gedaan. Zeggen en doen zijn in geen enkel opzicht met elkaar te vergelijken. Zeggen is niets. Doen is een ding.’

‘Klinkt minder subtiel dan ik van je gewend ben, meneertje George. Zolang we práten, geef ik aan praten de voorkeur.’

‘Maar jij hebt geen problemen.’

‘Nee schat, want ik heb jou. En als ik jou niet had, had ik een ander.’

‘Ik denk wel ’s,’ zei hij ‘– na m’n pensioen. Als ik dan ’s een bestseller schreef. Laatst had ik een idee. Ik heb het opgeschreven en ’s avonds nog ’s overgelezen, want het valt vaak tegen hè, maar het viel niet tegen en ik dacht, dit zou wel ’s een goede invalshoek kunnen zijn. Wat zou je ervan zeggen als ik ’s mijn memoires schreef...’

‘George jongen, hoe oud ben je.’

'Ik kan toch vast beginnen?'

'Je hebt niks te vertellen volgens mij. Bovendien kun je niet schrijven.'

George lachte hard.

'Dat vind ik zo goed van ons,' riep hij, 'dat we alles tegen elkaar kunnen zeggen.'

Ze konden geheel hun gang gaan. Wel zul je goede afspraken moeten maken. Wanneer je je met een geleende sleutel toegang verschaft tot een huis dat niet het jouwe is – laat dan alsjeblieft de wettige bewoner niet thuis zijn of niet onverwacht thuiskomen. Dag en uur, en duur – er moeten goede afspraken worden gemaakt. George en Roetie konden het huis van Felix gebruiken; elke dinsdag vanaf half twaalf voor de duur van twee uur – dan kwam Felix weer thuis. Dat Felix gedurende twee uur afwezig was – was erg aardig van hem.

Dat hij precies diezelfde tijd bij Eefje op visite was, kwam iedereen goed uit.

'Alles komt iedereen goed uit,' zei Eefje.

Mensen gedragen zich naar de groep waarvan ze deel uitmaken. Een groepsmens is zo geheel anders dan de individuele mens. Ach, dat was Roetie wel bekend en toch was ze weer teleurgesteld.

Ze was, al winkelende, Felix en Eefje tegen het lijf gelopen, die daar hand in hand liepen, ook met tasjes, ook genietend van de zon. Kijk 's wie we daar hebben. Je houdt elkaar staande en je hebt elkaar na tien woorden al niets meer te zeggen: je beweegt je op een niveau van drie is een te veel, of een te weinig. Niet het niveau waarop gelachen wordt en men elkaar bestookt met spitse grappen, of het niveau dat je je kleren uittrekt omdat je met z'n tweeën bent. Drie, in de Breestraat, dat was niks. Armoe. Een joviale grijns moest aan het samenzijn een einde maken: 'we houden contact' of 'we bellen binnenkort' en Roetie, voortlopend langs de winkels, vroeg zich af of de anderen dat ook zo gevoeld hadden: als wij drieën op straat zo zeer als los zand aan elkaar hangen, wat is dan de bindende factor nog. George? Met z'n agenda? Of Johan, zonder agenda? Of Barbara? Nog iets van Barbara gehoord?

10

In het begin was het goede. In het begin was het Al. Toen kwam het kwaad, dat kreeg een naam en toen kreeg ook het goede een naam.

Want dat is het leven. Het onverwoestbare leven. En als daarbij de zon schijnt en de vogels fluiten en je loopt langs de waterkant, lijk je wel onsterfelijk.

Het was mei en dan is de natuur niet te stuiten. Johan stapte langs de kade en had zich nog nooit zo goed gevoeld. Zijn stap was veerkrachtig en met hem stapte zijn moeder mee. Vanachter de opzijgeschoven vitrage volgde Roetie zijn stappen tot hij door het gebladerte aan het gezicht was onttrokken.

Rond het middaguur belde ze Eefje. Over Johan. Johan die zo was opgebloeid. Of zij, Eefje, misschien iets bijzonders aan hem had gezien. 'Het is,' zei Roetie, 'of hij... Ik heb hem meteen gevraagd, of hij soms verliefd is. Die krullen. En ik zie het ook aan zijn handen. Weer helemaal glad en slank. Hij heeft de handen van een achttienjarige. Hij is... hij is onherkenbaar.'

'Goh,' zei Eefje, 'en blijft dat zo denk je? Misschien kan ik hem gebruiken als model, haha! Het idee!'

Eefje – als je Eefje sprak, ging het altijd meteen over kunst. Altijd die verrekte kunst. Nu weer die koe. Die zwangere, open koe, waarin je de foetus kon zien bungelen in de wind. 'Meid, je hébt het me al 's laten zien,' riep Roetie, blij dat ze het gesprek kon kortsluiten, zodat Eefje niet wéér... 'toen ik met Johan ben wezen kijken.' Was Eefje, makkelijke Eefje, alweer vergeten natuurlijk. Een kwalvormige opstal van poten en een staart. Ja, dat foetus. Aan twee draden. Het geheel van piepschuim, beschilderd met aluminiumverf. Ja, herinnerde Eefje zich, er waren al meer kopers geweest. Terwijl het nog niet eens af was!

'Ik heb enórm succes, ik verkoop veel,' vatte ze samen.

'Meid,' zei Roetie, 'wat ben ik blij voor jou. Dat je zo'n succes hebt.'

In werkelijkheid was Roetie blij om iets heel anders: het goede nieuws dat Eefje helemaal niet veel verkocht. George had haar verklapt dat het met dat enórme succes wel meeviel, gelukkig. Maak je geen zorgen, had George gezegd. Dat ding van anderhalve ton, verkocht aan 'Gent', was nog helemaal niet verkocht. Stond nog steeds thuis. Jawel, omdat de verf losliet. Aha, zoiets hoorde Roetie graag. Dus, die nieuwe successen: korreltje zout. Niettemin: van harte gefeliciteerd. Voorts, wat George betreft: een lange windstilte. Hadden, zei Eefje, al in geen twee weken met elkaar gepraat, terwijl hij de loodgieter moest bellen voor een lekkage, zij deed dat niet en hij dus ook niet. Voorts: geen woord over Johan. Zodat Roetie maar het initiatief nam en suggereerde dat Johan 's langs zou komen om de lekkage te verhelpen. Dat wilde ze hem best vragen en dat zou hij ook best willen doen.

Het was even stil. Toen: 'Ik begrijp de achtergrond van je voorstel,' zei Eefje, koud als ijs en Roeties oor bevroor, 'maar ik heb George en ik heb Felix, ik kan er echt niet nog een derde man bij hebben. Waarom stuur je hem niet 's naar Barbara, dan weten we eindelijk 's hoe het met Barbara gaat, die heb ik zolang niet gezien. Jij? Felix hoor ik er niet over, die wil van haar af. Maar Johan is nieuw. Denk er 's over na. Hopelijk je hiermee van dienst geweest te zijn, teken ik, lieve Roetie, ik moet weer aan het werk. Toedeloe!'

11

Vraag is, hoe vertel ik het ze. (Johan)

Een grijze dag.

... wat kleur eigenlijk voorstelt als je weet dat buiten de natuur van mens en dier kleur in de natuur geen enkel effect heeft. Het is met recht een oppervlakkig verschijnsel. Buiten het leven dient kleur geen enkel doel.

'Heeft een plant kleur nodig?'

'Heeft een plant een doel? Kan een plant een doel hebben?'

'Kleur is bloei. Wat in bloei staat heeft een kleur.'

'Ik heb geen kleur nodig. Geen doel en geen kleur. Zo is het ook nog 's weer.'

Zo praat Johan, zo rechtvaardigt hij zich. Hij leert zichzelf kennen, dat is waar. Hij leert het leven kennen.

Het leven van de een gaat vaak ten koste van andere levens. Elk mens voedt zich met orde, die hij afscheidt als wanorde, om zelf in leven te blijven. Mensen die roepen dat ze 'leven' – ik leef! – veroorzaken een hoop rotzooi om zich heen. Leven zelf is een uiterste vorm van orde...

Zo moeten we het zien. En dan zullen we moeten erkennen dat Johan een triomf heeft behaald. Hij heeft door 'Barbara' geleerd te luisteren naar de stem van zijn lichaam. Een hard, eerlijk verhaal en we zetten erboven: ‘Eindelijk’.

12

Eefje was diep in gedachten. Ze stond voor de spiegel, maar zichzelf zag ze niet staan. Wat ze zag was haar lichaam, van top tot teen, want ze stond in haar blootje. Ze keek met het hoofd een beetje scheef, als naar een werkstuk.

Het had duidelijk een voorkant, en een achterkant die minder goed zichtbaar was. Een ansichtkaart.

Of een paard. Een paard heeft meer zijkant.

Een mens heeft typisch een voorkant.

En toen nam ze het penseel en het palet en ze tekende op het beeld een snede van top tot teen, van de haargrens, over voorhoofd, neus en mond enzovoort, over het midden van haar lichaam, over de navel tot waar de buik ophield.

Zo stond ze daar, twee helften.

Toen liep ze van de spiegel weg en van haar kunstwerk bleef niets over dan een verticale streep op het glas.

De man is heel anders.

De man, hij snijdt een touw door.

Hij snijdt een stuk touw de keel door en noemt het kunst.

'Barbara' was puur toeval. 'Barbara' gebeurde nooit weer. 'Eefje' zou heel anders zijn.

Nooit door toeval bijvoorbeeld. Hoe kun je het erop aanleggen dat je toevallig Eefje ontmoet? Of zij jou?

Dat je haar niet herkent? Ook niet van dichtbij?

Zelfs niet van achteren? Met die reet van haar?

Dat is haar manier van lopen. 'Ik weet hoe m'n kont tekeergaat, maar ik ben niet van plan dat te verbergen.'

Johan hoefde haar niet tegen te komen. Niet van voren en helemaal niet van achteren. Dat je moet roepen van hé en hollen om haar in te halen.

Hij is op weg naar haar. De zon schijnt, ook in zijn hoofd. Er staat een flinke bries, de bomen werken mee en staan strak als een zeil – en veren weer terug.

Wie vol is van emoties, dicht ze vaak toe aan z'n omgeving. Aan Eefje. Omdat Eefje, in tegenstelling tot Roetie, een vlot vrouwtje is. Een makkelijk type, dat makkelijk lacht.

Maar Eefje, hoe makkelijk ook, is niet thuis. Hij belt aan, maar er wordt niet opengedaan. Misschien is dat maar goed ook. Ze zou, hoe vlot ook, zich over zijn komst hebben verbaasd. Je bent toch geen schooljongen meer, zou ze hebben gezegd, je had toch wel even kunnen bellen dat je kwam?

Dit zijn de feiten.

Hij heeft aangebeld, en nog een keer.

Na lang aandringen loopt hij terug naar het midden van de straat. Kijkt omhoog, om haar achter het raam te zien wuiven, haar opgestoken vinger heen en weer te zien gaan ten teken dat ze nee zegt. Ze staat er niet en toch, hij voelt zich bekeken door haar. Hij komt niet gelegen.

En dat is, nogmaals, maar goed ook. Hij had zijn verhaal niet klaar gehad.

En al die tijd geen aansluiting met de kopgroep.

Zo is het. Door wat er gebeurd is kunnen we verder. Anders hadden we niet verder gekund.

Acte 2. Johan staat in de stille straat waar Eefje woont en wordt gezien. Er is een wandelaar blijven staan om naar hem te kijken, zodat Johan weer doorloopt.

Johan liep door en kwam in een straat die hij niet kende. Hij liep voort. Het was een oude, lange straat, zonder trottoirs, met aan de ene zijde de hoge houten schuttingen van de rijkelui en aan de andere zijde hoge armoedige woningbouw.

Langs de hemel trokken grijze, roze, groene wolken die aangaven dat de dag ten einde liep.

Uit een van de huizen kwam lawaai. Een deur ging open en weer dicht, en weer open om een aantal gasten uit te laten. Drie jongemannen, die luidruchtig waren en lachten, belden aan bij de deur die net achter hen was dichtgeslagen. Johan liep aan ze voorbij alsof hij ze niet zag. Het was inderdaad al flink donker. Hij haastte zich voort.

Maar de jongemannen, eenmaal gewend aan de schemering, hadden hem alsnog in de gaten gekregen en riepen 'wat doet die lul daar'.

Johan versnelde zijn pas, zonder direct te gaan hollen. Hij schoof voort als een snelwandelaar, maar dat hielp hem niet. De jongens kwamen achter hem aan en ze kwamen steeds dichterbij.

De straatlantaarns waren gaan branden, maar stonden ver uit elkaar. De snelle pas van Johan was nu overgegaan in een stil draven. De armen gestrekt en de benen gestrekt: zo zweefde hij voort. Maar ook van zijn achtervolgers waren nu de armen en benen gestrekt en horizontaal. Horizontaler nog dan Johan: ze kwamen sneller vooruit. Langzaam wonnen ze terrein, langzaam ten opzichte van Johan, die stil kwam te staan. Hij was gewoon minder snel, zijn armen en benen lagen minder gestrekt.

Ze lagen, als roeiers op de baan, op gelijke hoogte en je zag ze langzaam maar zeker in schokjes met z'n drieën de arme Johan voorbijglijden, achterwaarts. Als echte roeiers. Ze lachten naar hem. Ze lachten hem vierkant in zijn gezicht uit. Of het waren de wanstaltige trekken van hun krachtsinspanningen, die overigens beloond werden. Ze kwamen als eerste aan.

De zaal was open en Johan ging naar binnen. De meeste gasten waren al aanwezig. Hij gaf zijn jack af bij de garderobe en, terug in het gezelschap, nam hij van het rondzwemmende blad een glas rode wijn. Hij mengde zich in het gesprek – om na enkele minuten te ontdekken dat hij zich bij het verkeerde gezelschap had aangesloten. 'Dank u wel,' zei hij. Hij keek om zich heen, nam de trap naar de eerste verdieping, niet wetend of hij het glas in zijn hand moest meenemen of wegzetten, zodat hij het leegdronk en in de zak van zijn colbertje stak.

Ook op de eerste verdieping was het druk, veel drukker nog. Hij kwam tegen iedereen aan te staan. Iedereen stond met een vol glas en ook Johan stond met een glas, dat hij beschermde met zijn linkerhand. Hij keek in het rond. Ook hier kende hij niemand. Hij voegde zich bij een groepje mannen, van wie er een aan het woord was. Johan verstond niet wat de man zei, nam een teugje wijn en glimlachte. Keek om zich heen. Er waren ook vrouwen, maar niet veel en elke vrouw had al een groepje mannen om zich heen staan. Het plafond was laag, dat droeg niet bij tot de verstaanbaarheid van wat er gezegd werd. Alleen wie er aan het woord was, verstond wat er werd gezegd.

Op het moment dat Johan, rondkijkend, besloot maar weer te vertrekken, stond er een vrouw naast hem die zijn aandacht vroeg, ze trok aan zijn mouw. Een jonge vrouw met lang stug blond haar dat over haar schouders hing en dat golfde als een wasbord. Haar borstjes waren ten dele zichtbaar, achter zwart gaas. Ze lachte niet, ze sprak. Maar ook zij was moeilijk te verstaan. Hij bracht zijn oor voor haar mond en hoorde dat zij het beter vond samen naar buiten te gaan. Hij knikte. Ze liepen samen de trap af, hij haalde zijn jack uit de garderobe en zij nam het jack dat ernaast hing. Buiten bleek dat hij een fles wijn had meegenomen. Wat moest hij ermee. 'Geef maar,' zei ze en ze stak de fles in haar schoudertas.

Ze liepen over het verlaten kerkplein. De klinkers waren nat van de regen of van de sproeiwagens van de gemeente, omdat er misschien markt was geweest, meende hij.

Hij had het sterke vermoeden dat het Barbara was die naast hem liep, maar hij wilde het niet alsnog aan haar vragen, noch durfde hij pal in haar gezicht te kijken, daarvoor was het nu te laat.

Ze liepen naast elkaar voort, zij met haar hand aan zijn sterke arm–'mag ik een arm van je?' Dit was het goede ogenblik om Johan te vragen wanneer hij Felix voor het laatst had gezien.

'Een week geleden,' zei Johan.

'Heeft hij het nog wel 's over mij?'

'O ja, regelmatig.'

'Wat zegt hij dan allemaal?'

'Hij mist je. Tenminste dat zegt hij. Ik mis haar elke dag.'

'Wat erg. En wat moet dat erg voor jou zijn.'

'Voor mij?'

Nooit bij stilgestaan. Dat iets wat erg was voor een ander ook erg kon zijn voor hem.

Haar conclusie was gebaseerd op een leugen van hem, maar daarom niet minder waar. Een onwaarheid brengt van alles voort, waarheden en onwaarheden. Daarom is het beter niet te jokken.

'Je moet wel ontzettend kwaad op mij zijn,' zei hij.

'Ik kwaad op jou?' zei ze verbaasd. 'Jongen, maak je toch alsjeblieft geen illusies. Wat zou ik daar mee winnen?'

Hij antwoordde niet en ze liepen lange tijd zwijgend naast elkaar voort.

'Je voelt je misschien wel heel goed,' merkte hij op.

Het duurde even voor ze antwoordde.

'Laat ik dit zeggen,' zei ze toen, 'ik voel me goed. Denk

niet dat ik ongelukkig ben. Ik ben alleen zo vreselijk afhankelijk, maar dat is het lot dat ons treft. Jij bent mijn ongeluk, maar ook mag ik mij gelukkig prijzen dat ik jou tegen het lijf gelopen ben en niet een ander. Je bent het steentje in mijn schoen, en het vaandel der onsterfelijkheid. Jij bent mijn geluk en mijn ongeluk, in hoogte en diepte gemeten. Als ik het over jou heb, heb ik het over een lieve dwaas met een grote dobbelsteen en een ongelukkige hand van gooien... Je mag me naar huis brengen.'

Hij bracht haar naar huis: een oude woonboot, verborgen achter laaghangende wilgentakken.

Ze stonden stil. Johan wachtte op een uitnodiging met haar mee naar binnen te gaan. 'Ik zou ontzettend graag 's een kijkje nemen.'

'Dat begrijp ik,' zei ze. 'Woorden roepen beelden op. Dat op zich is al een wonder. Nog veel groter wonder dan dat wij met elkaar praten, dat gaat vanzelf. Ook dat we elkaar begrijpen. Kom, ik zal je uitlaten.'

Uitlaten?

Ze slenterden naar de hoek. Toen hij haar zou uitleggen waarom hij dacht dat hij – zag hij dat hij alleen liep. Ze was verdwenen. Hij stond stil, keek om zich heen als iemand die de weg kwijt is.

Hij liep op een industrieterrein.

Niet dat hij haar om het leven had gebracht, maar dat hij het had verzwegen – dat was zijn fout.

Maar hoe moet je praten als je altijd gezwegen hebt, hoe doe je je mond open? Tegen wie?

'Wilde je wat zeggen?'

'Nee, hoezo?'

Volgende week: *Felix neuriet een melodietje.*

13

Al die agenda's, de ene nog groter dan de andere. Als ze weer eens 'getrokken' werden – de enige die geen agenda had was Johan. Had hij niet nodig.

'Ik ken mijn leven uit het hoofd.'

Grijnzend.

Hij loog. Met de blik op de jaarkalender vóór zich kon hij niet meer feilloos als voorheen de dagen vullen met gebeurtenissen: dát was woensdag en dát was op de maandag erop volgend. Zijn lineaire levensstijl – hij had moeite met de volgorde der dagen. Barbara – VOOR en NA. Hij begreep niet dat alles wat na Barbara gebeurd was... Het was alsof hij – lang is kort, smal is breed – in een lachspiegel keek. De dagen van zijn leven stonden niet meer in het gelid. Zij telden niet meer de tijd, maar vertelden een verhaal en tuimelden over elkaar heen.

Niemand is ervan op de hoogte, alleen hijzelf. Tot zijn verbijstering.

Tegen het huis, naast de keukendeur. Hij ontvangt het regenwater van het dak.

Een betonnen bak met een ijzeren deksel. Groen geverfd. Op dat deksel stond een dode geranium, van vorig jaar. Die zette hij er weer op.

Van straf is geen sprake, noch van rechtvaardigheid. Wil je het probleem van de rechtvaardigheid oplossen, dan heb je de hypothese van het hiernamaals nodig.

Geloof je niet in het hiernamaals – ja, wat moet je dan, hè?

Doe wel en zie niet om.

...maar dat hij nauwelijks een reden had gehad.

Als ik geen enkele reden had, moet er een oorzaak zijn.

Wie is schuldig, ik of iets in mij?

De geest heeft zijn redenen, het lichaam zijn oorzaken. Maar het ene sluit het andere niet uit. 'Het is', las hij ergens, 'de tegenstelling tussen redenen die misschien wel oorzaken zijn en oorzaken die niet tevens redenen zijn.'

Het is niet uit te leggen. Nee, maar je vindt er wel iets op. Als het niet uit te leggen is, heb je het voor niets gedaan. Denk ik. Denk je niet? 'Ken je dat gevoel,' zei hij, 'als je 's morgens wakker wordt, dat je denkt – meestal na een mooie, onschuldige droom – dat je denkt, wie ben ik, dat je dan denkt van harregat, de werkelijkheid? Daar moet je mee leren leven.'

'Ik begrijp niet,' zei Johan, 'dat je niet ziet wat er met mij aan de hand is.'

Dat zei hij niet. Hij had het kunnen zeggen, als er intimiteit was geweest. Voor een vrijwillige bekentenis is intimiteit nodig.

Zodat hij zijn verhaal voor een andere keer bewaarde, bij een andere gelegenheid.

...dat het ene door het andere wordt meegenomen. Opgezogen.

...dat hij het niet persoonlijk bedoeld had.

Hij belde 'Barbara' en kreeg Felix aan de lijn, die wel vermoedde dat het om haar ging en niet om hem, maar beiden voerden het korte gesprek tot een elegant einde. Felix wist absoluut niet waar Barbara uithing. Misschien, als ze niet thuis was, dat ze in Amerika zat, dat was heel goed mogelijk. 'Geen idee, maar als je haar aan de lijn krijgt of anderszins tegenkomt, laat je het mij dan effe weten? Ik ben graag op de hoogte.'

Ook al is het alleen maar om administratieve redenen.

'Barbara? O, die zit in Amerika.'

'Barbara? O, die zit in Italië. Heeft een baantje als reisleidster.'

Johan begreep dat hij voor zijn daad, die je gerust een misdaad kon noemen, maar misschien ook wel een natuurlijke reflex, ter verdediging wat aantekeningen moest maken. Voor de zekerheid.

Gaat het?

Voor een vrijwillige bekentenis is een aanleiding nodig. En dan nog. Dezelfde aanleiding kan dienen om deze bekentenis nog even op te schorten. Er is altijd wel een uitvlucht. Het beste excuus om te zwijgen is dat men nog niet de woorden heeft gevonden om te spreken.

14

Op het instituut breidde de onrust zich uit. Op zijn werk in de uren dat hij zijn verslagen schreef.

Steeds vaker had hij het gevoel dat hij niet alleen was. Naast hem, rechts van hem, stond een man die hem op z'n vingers keek, meelas wat hij schreef, met een lichtgebogen hoofd.

Niet een man, maar een prullenmand.

Een lek.

En de gordijnen in de hoek.

'Het zijn gordijnen, maar toch.'

Ook wel 's links. Ook wel 's een vrouw die op de tafel zat, de handen onder haar dijen geschoven. Of Felix die stond te wachten, ook met gebogen hoofd; in zijn handen een stapel formulieren die allemaal moesten worden getekend.

Op de rand van zijn gezichtsveld.

Dan ging hij even de gang op. Om alleen te zijn.

Een dag later. Zaterdag. Roetie was weg en Johan was bijgevolg alleen thuis – toen er werd aangebeld.

Meteen dacht hij aan Barbara. Dat Barbara op de stoep stond.

Alsof er niets aan de hand was – hij liep de gang door, de hal in en opende de deur. Op de stoep stond een man die vriendelijk lachte, zijn aktetas openmaakte en, met de verontschuldiging dat het misschien enige tijd zou vragen, een flets tijdschrift tevoorschijn haalde – *De Wachttoren*.

'O nee, Jehova's getuigen hoef ik niet,' zei Johan en hij had de deur allang dichtgegooid, anders, maar de man zag zo argeloos naar hem op, zo onbevangen dat Johan met de deur in de hand bleef staan. 'Ik ben geen getuige van Jehova,' zei de man. 'Ik ben Jehova zelf namelijk.'

'Pardon?'

'Ik ben God.'

Johan grinnikte. 'Daar kijk ik van op. God bestaat namelijk niet.'

'Ik wel,' zei de man, 'ik ben de God voor wie in geen God gelooft.'

'Dan moet u inderdaad bij mij wezen,' zei Johan, 'dat is juist.'

'Ik heb u gisteren al een bezoekje gebracht, op uw werk. Ik hoop dat u het vergeten bent.'

'Ja, misschien ben ik dat vergeten,' zei Johan onzeker.

'En dit gesprekje, hoe merkwaardig ook nietwaar – we genieten ervan, maar ik hoop dat u ook dit snel vergeet. Haha! Daag!'

De man deed een stap achterwaarts, om ruimte te geven aan een verdere overdenking – en verdween uit het beeld.

Johan keek de straat af, beide kanten op en sloot toen nog steeds verbaasd de deur.

God liep verder, niet tevreden over zichzelf. Hij had zich niet moeten openbaren. Maar deze Johan was zo'n gastvrije, hulpeloze man, dat hij bijna zichzelf was vergeten.

Als ik hem niet zo aardig had gevonden, was hij niet thuis geweest.

God, de Ketelaar die langs de huizen trekt. Zijn naam is Nederige, Vergetene. Want alleen in het vergeten der mensen zetelt de kracht van God. En wel zodanig, dat als God u aankijkt, zijn gezicht dat liefde is, u aankijkt als een drieluik. Ook al heb je hem nooit eerder ontmoet, je herkent hem onmiddellijk.

Die herkenning is eenzijdig. God, die beschreven wordt in de boeken der wijzen, leest die boeken niet, want hij leest geen boeken die hij niet zelf geschreven heeft.

Er is een kort, verhelderend boekje van de Amerikaanse psycholoog Jimmy. Deze Jimmy is na vele vergeefse pogingen erin geslaagd een beschrijving van God te geven. Het boekje kwam uit in 1897 en is nog steeds niet door iedereen gelezen. Het geeft een geloofwaardig portret van God, de Ziel, de Geest en het Lichaam. God, in de Spaanssprekende landen genoemd El Señor, in de Engelssprekende landen Lord, in de Scandinavische landen Erik, in de Lage Landen Nederik, hetgeen betekent: ongezien met u. God is gevestigd in alle landen.

Jimmy's boekje maakt de lezer vertrouwd met de idee dat de mens in principe even dom als verstandig is. En waarom een dier in principe juist niet dom kan zijn: omdat hij geen geest heeft. Hij heeft een ziel, maar geen geest. Jimmy: 'Op hun hoge niveau kunnen de hersenen veel dingen doen en op het geringste teken. Maar juist deze haarfijn afgestelde structuur maakt dat de hele zaak lukraak en in het wilde weg opereert. Het is even waarschijnlijk dat de geest op een bepaald moment iets verzint dat slecht is als iets dat goed is.'

Geest is verbonden met het woord, en evenals de geest is het woord verbonden met het lichaam. De geest Gods is niet verbonden aan enige lichamelijkheid, kent geen vermoeienis, maar is testamentisch van opzet.

God is mannelijk – maar slechts bij wijze van spreken. Hij is immers niet lichamelijk. Het is zijn permanente, alomtegenwoordige geest die ons verrijkt, onze kennis vermeerdert. Zonder God weten wij niets. Wij, daarentegen, weten meer dan hij.

Hoe weet God altijd wat hij moet doen?

Het klassieke antwoord zou deze vraag negeren en luiden: in zijn oneindige wijsheid weet God altijd wat hij moet doen.

Maar voor God is er geen vroeger en later en in zijn ogen zal wat er gedaan moet worden allang gedaan zijn. Wij delen die eeuwigheid niet en zullen dat soort wijsheid niet begrijpen. We kunnen hem niet volgen omdat hij, in zijn onmetelijke wijsheid, stilstaat. Het hedendaagse antwoord luidt: ja, door de dobbelsteen te gooien – en het juiste aantal ogen.

God is luxe. Velen van ons willen het zonder hem stellen – omdat hij in de geest hun meerdere is. Maar vele anderen willen hem leren kennen en voor hun doet God zich voor in een eenvoudige vorm, in de persoon van een leraar of profeet.

God is overal. Maar hij is ook: zeldzaam. Hij lijkt daarin op poëzie, indien we poëzie willen begrijpen als het juiste woord voor dingen die niet bestaan.

Er is veel vraag naar het hiernamaals, dat men zich voorstelt als iets eeuwigs. Maar het hiernamaals is een persoonlijke ervaring en die heeft niet het eeuwige leven. Wie, na zijn dood, handenwrijvend en nieuwsgierig het hiernamaals binnenstapt, zal daar God niet aantreffen. Doden zijn niet zijn zaak. Van een laatste oordeel is geen sprake.

Als ze met bewijzen zouden komen, ja dan zou alles veranderen.

Dat was een gedachte die hij honoreren wilde met een uitroepteken. Hij zou erg benieuwd zijn.

Hij zou, op zijn wandeling, aldoor steentjes kunnen hebben laten vallen en nu komen ze hem achterna, de mensen met hun steentjes, en zeggen, verklaar je nader, broeder. Leg dit 's uit.

Maar hij had geen steentjes laten vallen.

Hij hoefde niets te vertellen.

Hij hoefde niet eens te vluchten.

Weghollen, daarmee krijg je vanzelf de mensen achter je aan.

Daarmee beken je schuld. Blijf je staan, dan weet je van niets. En anderen evenmin.

De vraag is dan, wat is de uitkomst. Wat wilde hij horen.

Als er geen aangifte is gedaan, houdt alles op.

Is er aangifte gedaan?

Er is geen aangifte gedaan.

Een geheim bewaren vraagt karakter, een geheim verklappen is een kunst.

15

George herinnerde zich Johans nieuwjaarswens. Terwijl van iedereen het verlangen wortelde in vrede, had Johan het gebaar van een dolkstoot gemaakt.

'Ik dacht dat hij met een geweer schoot...'

'Kan ook. In elk geval kwam het op mij over als iets zeer gewelddadigs.'

'Heb je hem wel 's horen niezen? Dan hoor je het. Daar steekt een flink stuk venijn achter.'

'Ik zag het als het machteloze gebaar van een romanticus,' zei George.

'Felix,' zei Roetie, 'zag er meteen iets seksueels in.'

'Felix neukt te weinig.'

'Voorlopig liggen wij in zijn bed.'

'Misschien ligt hij er wel onder.'

'De wereld is klein.'

En dat ze tegen de doodstraf waren, die twee. Ze hadden daar, in elkaars armen, hun argumenten voor. En toch... Wie voor de doodstraf is wordt gedreven door duistere emoties, maar wie tegen de doodstraf is niet minder. Rond de doodstraf richt de ratio uiteindelijk niet veel uit.

Singuliere transformatie, nl. daar waar geen hoogte of diepte, want nul, gemeten hoeft te worden.

16

'Het gaat erom...,' zei George. Hij stopte zijn pijp. Roetie vroeg of hij zijn auto wel op de oprit had staan. Hij glimlachte met een hand omhoog: 't is goed.

Ze zaten buiten. Felix en Eefje waren er ook al. Felix wreef in zijn handen en Johan zou opnieuw dit niet het meest geschikte moment vinden om met de waarheid voor de dag te komen – nu niet. Want Roetie zat erbij. De anderen trouwens ook.

Wachten op een geschikt moment om het over Barbara te hebben.

'Het gaat erom,' zei George, die zijn pijp aangestoken had, 'of je bereid bent te sterven voor een ander.'

Doodstil was het even. Onderwerp van gesprek: de landsverdediging.

'We hebben in lange tijd geen oorlog gehad,' zei Roetie.

'Wees blij,' zei Eefje.

'Bén ik ook,' zei Roetie, 'maar zou jij als vrouw in dienst willen?'

'Ik in dienst willen,' vroeg Eefje, alsof het een aanbod betrof. 'Op wacht staan? In de sneeuw liggen of op de hei, achter een mitrailleur? Ik zou er romantische ideeën van krijgen.'

'De vliegende tering zou je krijgen,' zei Felix, 'en op z'n best een grafsteen met je naam erop, na zes dagen trouwe dienst.'

'Vin'k geen argument,' zei Roetie, 'als jij het niet doet, moet een ander het doen.'

'In dat stadium,' zei de man met de pijp, 'is het niet een

kwestie van moeten, dan doe je het gewoon.' Hij kwam met het verhaal van majoor N., 'een karikatuur van een militair' – 'dat verhaal ken ik,' zei Felix, 'dat heb je me al ettelijke – '

'Ja, maar de anderen niet.'

'Ik heb 's,' zei Felix en Roetie had ook 's en het leek wel alsof er een deksel werd opgetild, van de tombola van het vermaak. Voor je het weet is het vijf uur, is de nieuwe dag al begonnen en rijd je naar huis en denk je, waar hebben we het over gehad dat de tijd zo kan vliegen terwijl er zo weinig is gezegd. Dat je dus, ook al zeg je niets dat je onthouden hebt, je toch niet hebt verveeld. Dan heb je elkaar met die discussies toch vermaakt, op een of andere manier. Want gelachen heb je wel. En dat hoor je toch niet te doen, bij zo'n onderwerp.

'Wat een onzin,' zei Eefje. 'Soldaten lachen altijd. Zingen doen ze. Vooral als ze naar het front gaan.'

'Fronten bestaan niet meer,' zei Felix.

'Maar nu het verhaal van majoor N.,' zei Johan, 'je zou nog van majoor N. vertellen.'

'O, majoor N. kwam op achtendertigjarige leeftijd uit Nederlands-Indië, gepensioneerd door het KNIL. Dus die had niets te doen. Dus die neemt fotografie als hobby. En vanaf die dag neemt hij overal foto's van. De tuinen, de kamers, de opgroeiende kinderen. Een middagje Avifauna en hij loopt maar te kieken, achterwaarts lopend, want de kinderen komen eraan drentelen. Nou, hij heeft mij 's verteld dat hij meer dan vijftigduizend foto's geschoten had. En nog nooit eentje ontwikkeld en afgedrukt. Dat zit allemaal nog opgesloten in de duisternis van de rolletjes.'

'Zo iemand is dan ook wel een beetje gek. Moet je zeggen, dat neemt mij voor hem in.'

'Hij is dood, intussen.'

'Kun je beter doen zoals ik,' zei Johan.

Nou, hoe deed hij het dan?

'Alleen maar pasfoto's. Bij de gekste gelegenheid laat ik pasfoto's van me maken. Elke keer als dat nodig is. Ik heb al mijn pasfoto's nog.'

En om dat te bewijzen, holde Johan het huis in en kwam even later weer naar buiten. Blij. Met het boek. Want natuurlijk ingeplakt. Overigens nog niet zo langgeleden.

Felix zat ermee op schoot en bladerde door de vijf bladzijden heen en terug. George keek over zijn schouder mee. Meer dan honderd foto's, voorzien van jaartal, maar niet op volgorde. Ze stonden alle min of meer door elkaar. Als postzegels in rijtjes.

'Inderdaad 'n gek gezicht,' zei Eefje, die op haar beurt over de schouder van George meekeek. 'Allemaal dezelfde man en toch zo verschillend. God, wat een jochie!'

'Je hebt idiote brillen gedragen.'

'Nou moet jij kunnen zien,' zei Eefje, 'wanneer Johan voor het eerst met een meisje naar bed geweest is. In welk jaar.'

Felix: ik?

'Ja jij. Je beweert altijd dat je dat aan het gezicht kunt zien, of iemand nog maagd is of niet.'

'O, dat. Ja zeker. Je ziet het op straat, maar op een foto zie je het nog beter. Ja hoor, dat kun je zien.'

'Weer aan het licht zeker,' zei George, die zich Felix' eerdere uitspraken herinnerde.

'Nee,' zei Felix, 'een pasfoto vertelt je niets over het licht.' Nee, hij zag het aan de foto, aan de persoon zelf. Aan de ogen. Aan de mond. 'Nou, laat ik 's kijken,' besloot hij.

Alsof hij Johan de kaart legde.

Hij kwam tot slechts vier foto's, alle van hetzelfde jaar.

'Geef maar hier,' zei Johan bruusk en hij trok het boek uit Felix' handen. Hij liep ermee terug het huis in.

'Welk jaar is het,' wilde George weten.

'Dat is duidelijk,' zeiden de meisjes tegelijk. George grijnsde. Hij had de boodschap gemist, zei hij. Maar Felix zweeg, solidair met de man die hij zo juist in verwarring had gebracht.

‘Je ziet het overigens eerder aan de man dan aan de vrouw. Vrouwen hechten er niet zoveel betekenis aan.’

‘Behalve ik,’ zei Eefje.

‘Aan vrouwen kun je zien of ze zwanger zijn,’ zei Felix, ‘ook op een pasfoto.’

‘Dat zou een goeie test zijn,’ zei George. ‘Klaar terwijl u wacht.’

Om de volgende scène te zien moest men naar binnen. Een spoorboom, rechtop, die in werkelijkheid was: een geërecteerd manlijk lid, dat daarna in schokjes naar beneden kwam en horizontaal op een boterhambordje bleef liggen, ten einde door een mes en een vork te worden behandeld. En gesneden. Quasi. Het mes maakte een snijdende beweging, zonder te snijden en ook de vork prikte niet echt in het vlees. Mes en vork worden gehanteerd door een paar welverzorgde handen, de vingers voorzien van schitterende, waarschijnlijk kostbare ringen. Het leven is spel. Het is komedie.

Het is een stilleven. Er zit geen beweging in.

Het is een foto.

Maar nee. Het beeld zoomt uit. Je ziet wie de vrouw is met mes en vork, dat is nota bene Eefje en de man is Felix. Einde.

‘Goh,’ zei Eefje, ‘de opname is korter dan ik dacht.’

‘Hoe lang,’ zei Roetie, ‘had jij dan gedacht dat het zou duren.’

‘Zeker twee keer zolang.’

‘Nou,’ zei George, ‘dan draaien we hem toch nog een keer?’

Ze draaiden ‘hem’ nog een keer.

‘Hoe vind je het,’ vroeg Eefje tenslotte.

‘Dit is een voorbeeld van wat slecht is,’ zei Roetie. ‘Het komt boven water, maar is nog steeds tamelijk afschuwelijk om te zien.’

'Dat is het niet.'

'Waarom niet. Waarom is dit niet vreselijk om te zien.'

'Omdat het kunst is,' zei Eefje.

'Eefje,' legde Felix uit, 'werkt bij voorkeur met concepten. Omdat ze... Omdat ze de kunst niet geestelijk genoeg vindt. Een tube verf, een doek is haar al te materialistisch.'

'Te materialistisch,' riep Roetie, 'noemen wij een gedicht te materialistisch omdat het gedrukt is op papier? Als ik een gedicht lees, denk ik toch niet aan de drukinkt? Zelfs niet aan de letters. De kleinste eenheid is het woord. En zo is het met een schilderij. Goed, ik zie verf, maar waar het om gaat is het geheel, het beeld.'

'Het probleem met Eefje,' zei George en hij zocht een asbak voor zijn pijp, 'het probleem met Eefje is, ze kan niet schilderen. Vandaar die poespas eromheen. Nee, de pijl staat de andere kant op. Ze kón goed schilderen. Maar ze wil dat niet langer goed kunnen.'

'Ik kan niks,' lichtte Eefje toe.

Volgende week: *het feestje in de tuin.*

17

Eefje en Felix. Hun bezoek aan de kamer van Barbara.

Ze stonden voor een ijzeren hek, dat op rails liep. Het was dicht, maar niet op slot. Felix zette er zijn schouder tegenaan en het hek rolde makkelijk weg.

Hij liep over een binnenplaats met stapels oude, geverfde planken naar een geveltrap. Eefje volgde hem. Ze liepen de trap op, kwamen op een overloop. De trap zigzagde verder naar boven, maar zover hoefden zij niet te gaan.

'Hier moet het zijn.'

Een aluminium deur die gesloten was. Een keukendeur met een kruk aan de buitenkant. Je tilde hem makkelijk uit het slot. De deur zwaaide open.

Eefje stapte naar binnen, omdat Felix haar daartoe uitnodigde. Een sombere, hoge kamer. Alsof zij het graf van Klytaimnestra betrad.

Van alles wat Felix terugzag was 't het bordje op het aanrecht dat hem het meest zou ontroeren. Verdroogde broodresten. Eefje was de kamer in gelopen en zag de verwelkte planten. Felix bekeek de slaapkamer. Een leeg, niet opgemaakt bed. Hij opende, keek en sloot de wc-deur.

Ze keken om zich heen.

'Komt je dit niet allemaal erg vertrouwd voor?'

Ze hing aan zijn arm, alsof ze steun zocht in dit onherbergzame vertrek.

Hij glimlachte. Antwoordde niet.

Hij zag de KLM-kalender, op januari stilgestaan, met vierkantjes om de datums en kruisjes. Administratie van haar laatste dagen.

Ze bleven nog een tijdje om zich heen kijken.
'Hier is niemand geweest,' concludeerde Felix en ze verlieten het huis. Hij deed de deur op slot en ze liepen de trap af.

Kijk, de foto was misschien wat geflatteerd. Zulke zwarte wenkbrauwen had ze niet. Als ze lachte, zag je hoe jong ze was.

De foto zat vastgeklonken op bladzij 2 van het paspoort met het stempel van de Burgemeester van de stad Leiden. Het stempel liet zien dat het document nog twee jaar geldig was. Als Barbara naar Amerika was gereisd, had ze het bij zich moeten hebben. Bovendien zou er een visum aan vastgeniet hebben gezeten.

Barbara zat niet in Amerika. Dat was jammer. Het was beter geweest, voor haar, voor iedereen, als ze er wel gezeten had.

'Laten we eindelijk de vermissing van Barbara aangeven. Al dat andere heeft geen zin. We geven haar op als vermist.'

'Met als interne aantekening dat niemand haar heeft gemist. Daar zijn we aardig laat mee.'

Roetie: 'We hebben het veel te ver laten komen.'

Felix: 'Misschien moeten we denken aan een misdrijf.'

Hij keek naar buiten. De westelijke hemel antwoordde met een kleine rode vlek – die niet kleiner werd, eerder groter.

'Dat zou haar verdwijning in een heel ander licht zetten.'

18

De kleine rode vlek breidde zich uit over hen die 'haar gekend hadden'. Eefje nam zich voor minder egocentrisch te zijn en Barbara's kamer op te ruimen, vooral die broodkorst – waarvan George haar wist te weerhouden. Roetie herinnerde zich met berouw nog een kerstkaart van Barbara, in januari. Te laat natuurlijk. Die kaart. Nee, de herinnering. De kaart, een sneeuwlandschap, was allang met het oud papier meegegaan. Johan, die 'niet aan het ergste wilde denken', verloor zich in een eigenaardig soort algebra. De hemel was bloedrood. Hij stond, wat hij noemde, 'open voor het onmogelijke'.

Zo valt misschien te begrijpen hoe het kon gebeuren dat hij op een morgen in de Breestraat, de winkels waren al open, zo gemakkelijk met haar aan de praat raakte, dat ze opeens naast hem liep... Weer die harde wasbordlokken. En haar zichtbare borstjes samengebonden in een netje.

'Mag ik een arm van je?'

Ze staken over, om niet steeds tegen de stroom in te lopen.

'Het is vreemd,' zei hij, 'ik ben benieuwd hoe ze ons zien.'

'Wie?'

'De mensen.'

'Maak je geen zorgen. Die zien ons niet.'

'Maar als ik bekenden tegenkom, zien ze jou dan niet?'

'Misschien, maar ze zullen ons zeker niet herkennen, jou ook niet. Je bent zo héél anders met mij, daar heb je geen idee van.'

'Gaan we de goeie kant op?'

'Ja schat, we gaan de goeie kant op.'

Natuurlijk, een vrouw die schat tegen je zegt heeft altijd gelijk.

Tien meter verder kwamen ze George tegen. Johan bleef staan voor een praatje, maar George keek dwars door hem heen en liep hem gewoon voorbij.

Hij voelde haar hand, die hij niet herkende. Hij dacht dat het misschien wel de hand van Nederik was.

Ergens in het Houtkwartier. Daar woonde ze. In dat bootje. 'Laten we eens kijken,' zei ze en ze liepen over een loopplankje schuin naar beneden. Tussen de rietstengels door stapte ze op het achterdekje. Het deurtje was laag, je moest je diep bukken.

Barbara maakte het meteen gezellig. Ze zette thee, ze kon thee zetten en ze had tv. Maar daar zag ze niet veel mee, zei ze.

Alsof het bootje gezonken was, het rustte op de bodem tussen het riet. Het zonk niet verder. Je zag het nauwelijks. Johan zat bij het raam. Hij las reeds de krant. Barbara had het gietertje gevuld en gaf de planten water. Voorzichtig. De aarde moest vochtig zijn, niet nat. Ze besproeide de bladeren, onderwijl naar buiten kijkend. Het raam was versierd met een sticker: 'Kijk naar u zelf', in schrijfletters, maar de tekst stond ten dele onder water. Als Barbara naar buiten keek, keek ze aan tegen de onderkant van de waterspiegel. Van de eenden zag je alleen de haastige pootjes met de vliezen. En dan voornamelijk gespiegeld. Je zag de wereld ondersteboven. Dat went, zei ze.

Hij hoorde haar graag praten.

'Wat niet went is de eenzaamheid.'

'Ik ben toch bij je?'

'Ik heb het over de dagen dat je niet bij me bent.'

Gisteren, vertelde ze, zat ze naast haar kachel naar buiten te kijken. Toen was Felix voorbijgekomen en Felix niet alleen. Aan zijn arm huppelde Eefje. Eefje Teefje. Ze kwamen bij het ijzeren hek. Hij schoof het open en liep het terrein op. Eefje achter hem aan–ook toen ze naar binnen gingen. Stonden ze in haar kamer om zich heen te kijken, de rechercheurs. Felix zocht tussen haar papieren in de tafella. Eefje, zag Barbara, kon haar handen ook niet thuishouden. En toen ze weggingen, vroeg Barbara zich af: zie ik het goed? Eefje droeg háár zwarte oorknoppen.

De eenzaamheid, dat was het ergste.

'Je kunt geen gesprek beginnen, er is geen verbinding, geen communicatie. De beste communicatie is nog dat zij met mijn oorknoppen loopt. Elke keer als zij ze draagt, zal ze aan mij denken. En ik aan haar. De vorige week...'

'Dat je niks terug kan doen, hè?'

'In elk geval denkt ze vaker aan mij dan een halfjaar geleden. Toen had ze het nog te druk met zichzelf.'

'Nee, er is niets aan te doen. Ik hoor hen wel, maar zij mij niet. Als je de radio aanzet–je hoort de muziek en de zangeres, maar zij hoort jou niet, hoe hard je ook meezingt. Hoort ze niets van.'

19

Terug in de bewoonde wereld... met het gevoel dat Barbara naar hem keek. Johan liep door het huis en sloot de deuren achter zich. In een huis dat geheel verwarmd is is dat niet nodig en hij deed het nooit, maar nu deed hij elke deur achter zich dicht, om te voorkomen dat de slang naar binnen gleed.

Hij schilt de aardappelen, zoals altijd, tegen zessen, een rustig karweitje.

Johan denkt nog steeds: wat niet weet wat niet deert. De geschilde aardappel, tussen drie vingers, zakt door de waterspiegel heen en verder is hij, Johan, nog altijd de opgewektheid zelve.

Hij bevindt zich in een benarde positie, dat is alles.

'Je vermaakt je,' zegt hij. 'Je gaat dood en je hebt je voornamelijk vermaakt. Het leven is goed en eindig.'

'Je moet', had hij ergens gelezen en vreemd dat je dat al die jaren onthoudt, '–je moet nooit spijt hebben van iets dat je hebt gedaan. Nee, hooguit heb je spijt dat je iets niet veel eerder hebt gedaan. Dat is sterk.'

Dat je voelt dat...

Zoals een vrouw kan voelen dat ze een vrouw is. ('Ik voel mij in de eerste plaats vrouw.') Zo gaf hij het antwoord dat hij zich in de eerste plaats man voelde.

Jammer dat George geen gevoel voor kunst heeft. Nee, dat heeft hij niet.

Felix wel. Ofschoon – hij weet niet meer dan Eefje weet. Hij is wat dat betreft een meeloper.

Eefje draait een pirouette op de top van zijn middelvinger.

Die twee hebben een heel andere instelling.

Ze hangt achterover in zijn armen en zingt een aria.

Een Desdemona die vaarwel roept.

Een Othello die roept het is te laat. (Hij wurgt haar.)

Dat kan allemaal. We kijken toe. Kunst is amoreel.

Desdemona staat na afloop in haar spijkerbroek voor de spiegel haar kleuren af te vegen. Zij leeft. Zij, de dode, heeft gebogen voor het applaus. Haar dood was niet waar. En toch wil je dat ook op het toneel het kwaad wordt gestraft.

'Iedereen wil dat.'

'Als iedereen denkt dat Barbara in Amerika zit,' zei Roetie, 'is dat informatie.'

'Alleen ik denk dat niet, maar wat ik denk legt geen gewicht in de schaal.'

Johan. Het was uitgerekend op zijn verjaardag dat hij over de sloot sprong.

Een man en een vrouw die elkaar de hand toesteken. Maar niet tegelijk. Steekt hij hem toe, dan trekt zij hem terug, en is zij aan de beurt hem toe te steken, dan trekt hij hem terug. Beide handen zijn gestoken in bokshandschoenen, van echte toenadering is geen sprake.

In de kunst zie je, open en bloot, datgene waar een mens gekleed zich voor schaamt. Man en vrouw die elkaar geen hand kunnen geven, geen kus, hoe graag ze ook zouden willen – zo te zien. Het was te zien, en dat komt weinig voor.

...zo vervuld was hij, Johan, van het onmachtige tweetal dat hij ernaar verlangde kunstenaar te worden en precies zulke dingen te maken. Het was een natuurlijke wereld waarin haar tieten, horizontaal vooruit, sidderend van verlangen en voltage, uiteindelijk weer neervielen. Zo was het leven! En hij stelde zich voor dat hij, op weg naar het geluk, een vrouw zag staan die hem wenkte. Ergens in de verte stond een KLM-blauwe vrouw die haar armen had gespreid, alsof ze een vliegtuig binnen leidde.

Er was geen andere weg en hij liep dansend naar haar toe – opdat ze hem in haar armen sloot.

Hij wist nu hoe het moest. In de Breestraat lopen, 's morgens om tien uur. Naar haar verlangen, elkaar tegenkomen en dan met haar meegaan.

20

Ze waren weer bij elkaar. Opnieuw bij Roetie en Johan en ze troffen het. De zon scheen, ze konden in de tuin zitten, onder de parasol zelfs. Ze waren vrolijk gestemd. Op zo'n rijke middag kun je beweren wat je wilt.

Zo waren ze het er met z'n allen over eens dat de mens slecht was. Niet alleen op het toneel, maar ook in het dagelijkse leven. Hij was goed als het hem zo uitkwam, dus bij wijze van uitzondering, maar in het algemeen: slecht. Geneigd tot alle kwaad.

'Ach,' zei Felix toen, 'ik weet het ook eigenlijk niet. Een mens beweert makkelijk dat hij slecht is en z'n fouten heeft, maar als je hem vraagt noem er nou 's een paar, dan heeft hij niets te melden. George, noem jij nou 's een slechte eigenschap van jezelf. Of een misstap.'

George dacht diep na, door naar de lucht te kijken en kwam toen op de proppen met z'n rookverslaving.

'Hè,' zei Roetie, 'wat oninteressant. We willen van je horen wanneer je fout was.'

'Oké, da's waar,' erkende George.

'Het is anders,' zei Johan. 'Het probleem is, dat wij van nature het slechte in ons voor de ander eh... verborgen houden en de vraag is, wil een ander het eigenlijk wel horen of zo. Slecht is wat je verborgen houdt – dat is de definitie. We houden veel slechts voor elkaar verborgen en dat is goed.'

'Als je kiest voor de dood,' zei Johan, 'is dat omdat je voor de waarheid kiest. Het eeuwige leven kon wel 's verre van eeuwig zijn. De waarheid is een sterke menselijke kracht omdat het ook een goddelijke kracht is, maar zij wordt verslagen door de leugen, die niet goddelijk is.'

'Er is,' ging Johan verder, 'veel dat we niet begrijpen omdat het te klein is voor onze waarneming, omdat het een product van toeval is. God is als het verdwijnpunt in de meetkunde. Hoe dichter je erbij komt, hoe verder weg het blijkt te liggen. Toch teken je het verdwijnpunt gewoon op een A4'tje. Zo dichtbij als je maar wilt. Het is oneindig klein. De oude God wordt "oneindig groot" genoemd, opdat men zo uitdrukking kan geven aan het ontzag dat men voor hem koestert, men koestert graag ontzag, dus hun God is groot, oneindig groot liefst. Maar als er íéts oneindig is aan God, dan is het daar waar hij in het kleine werkt. Wel is hij overál – voorzover wij hem niet kennen. Hij is daarom: almachtig – daar waar wij niet zijn of waar wij niet ingrijpen. En hij is oneindig – waar wij eindig zijn.'

'Is hij Liefde?' wilde Eefje weten.

'God is geen liefde. Hij laat immers oorlogen woeden zonder bij machte te zijn in te grijpen. Hij treft ons met ziektes en andere ongelukken. Gebed richt niets uit. God is geen persoonlijke god. Hij kent ons niet, hij is een natuurverschijnsel. Onkenbaar, per definitie onkenbaar want, immers, eenmaal gekend, gaat hij voor onze kennis op de vlucht. Waar God is, zijn wij niet en waar hij niet is, zijn wij. Waar wij zijn, is geen God.'

'Is hij soms de dood?' vroeg Roetie.

'God is de dood, maar hij is ook het leven. Hij is luxe. Zoals ook het leven luxe is. Een teveel.'

'We gaan elke dag dood,' meende Felix.

'Jij zegt het,' riep Johan uit. 'Daarom is doodgaan een kunst die je beter niet aan God en zeker niet aan het toeval over kunt laten...'

'Tjemig,' riep Eefje, 'wat zeggen we opeens revolutionaire dingen!'

En allen bewonderden Johan om wat hij gezegd had.

Er werd even gewandeld 'om de benen te strekken', maar ook omdat er wel iets te zien viel. De zomer was, zij het laat, definitief doorgebroken.

Eefje dwaalde af naar de waterkant en Felix dwaalde automatisch met haar mee. George liep met zijn camera, maar het weiland lag in tegenlicht en dan heeft foto's nemen geen zin. Niet alleen omdat je de kans loopt dat de zon een gat in je film brandt, maar ook zul je aan je foto's zien dat het donker te zwart is en de lichte kleuren te wit.

'We lopen even om,' zei Roetie en het kleine gezelschap liep achter haar aan, klom met haar over een hek en stond even later aan de goede kant van het weiland. George nam zijn foto's en wat hij later zou zien – niet zo goed trouwens als hij het nu zag, met eigen ogen – was dat in het watergroene perceel graseilanden lagen van een lichtere kleur: teken van grondverarming, 'dus misschien,' zei Roetie, 'dat we hier over een paar jaar de blauwe gentiaan weer kunnen begroeten.'

Eenmaal terug bij het huis waren ze weer samen met z'n vijven. Met z'n zessen, als Barbara erbij was geweest. Maar Barbara was nog steeds niet terug. Felix wist 'niet meer dan ieder ander' en dat ze het zelf moest weten, zo langzamerhand. Johan dacht dat Barbara's vertrek Felix wel goed uitkwam. George zat zijn aantekeningen bij te werken, die 'had nog wat vragen' en Eefje zweeg, die dacht aan haar volgende performance.

Roetie wilde, aan de hand van wat ze gehoord hadden, nog iets zeggen over de kwaliteit van het grondwater. En de samenstelling: komt grondwater vanboven, van de regen, of welt het uit de aarde op, uit de aardlagen...

'Regenwater,' zei ze toen, 'is het beste wat er is. Onze regenput – als ik thee zet, haal ik het water vaak uit onze regenput omhoog, maar ook gewoon als drinkwater is het heerlijk.'

Ze stond op om nieuwe glazen te halen, om de emmer in de duistere diepte te gooien en hem halfvol weer omhoog te sjorren.

Even later zat iedereen aandachtig water te proeven uit de regenput.

'Zitten er geen bacteriën in?' vroeg Eefje voorzichtig.

'Miljoenen,' zei Roetie. 'Daarom is het zo helder. Daarom heeft het zo'n heerlijke tintelende smaak.' Ze dronk het glas leeg, zette het neer.

'Het is wat je zegt,' zei George, 'het is tintelend.'

'Het heeft een fruitige afdronk,' zei Felix, om grappig te wezen.

En voor de tweede keer plonsde de emmer in de diepte. Maar nu nam het amusement een noodlottige wending. Je hoorde het water toestromen alsof het begerig was naar boven te worden gehaald en Roetie hees de emmer naar boven. Met al haar krachten, George zag iets van spierballen en de emmer was voller dan ooit. De vis hing over de rand.

Geen vis, maar een zeemeermin.

'Mijn God!' 'Nee!!' – de armen geheven, de hand tegen de mond geslagen. Niet te geloven wat zij zagen.

Het dode lichaam van Barbara.

Ze zagen allemaal hetzelfde. En zwegen.

Alle vijf, behalve Johan. Zodra de lugubere vondst niet meer te ontkennen viel, was Johan opgestaan, naar de schuur gelopen om er op zijn fiets vandoor te gaan.

'Waar is Johan!'

Johan jakkerde op zijn fiets langs de Trekvaart. Bij de brug waren de rode lichten ontstoken om hem te vangen, maar hij slingerde zich lenig langs de roodwitte speren. De brug ging omhoog en Johan fietste op zijn gemak door de stille, zondagse stad. Naast hem draafde de man van de krant, bloknoot en potlood klaar, maar Johan antwoordde met een pertinent 'geen commentaar'.

'Gaat u eindelijk op de vlucht, meneer E.?'

'Geen commentaar.'

Hij versnelde zijn vaart, wat voor de reporter een reden temeer was mee te blijven hollen, en tegelijk er de oorzaak van was dat hij zijn jacht opgaf.

Johan fietste voort en vroeg zich af: als ik niet bang voor straf ben, waarom sla ik dan op de vlucht? Hij fietste over het verlaten Rapenburg, langs het Galgewater over de brug, die hem niet tegenhield, naar het instituut, dat natuurlijk gesloten was.

Johan zette zijn fiets tegen het hek, op slot, en hij ging de trap op. Hij had zijn sleutelbos bij zich. Wie hem enigszins kende, zou hem nu prijzen om zijn ijver.

Hij had de deur aan de binnenzijde op slot gedaan. Hij ging de trap op naar zijn afdeling. De deur van zijn kamer stond open. Dat betekende niets.

Hij ging zijn kamer in en sloot de deur.

Hij zat achter zijn bureau, de lade aan zijn rechterhand geopend, zoals altijd wanneer hij werkte.

Hij had zijn papieren voor zich gelegd, onder andere een overdruk van zijn laatste artikel 'On Proofs by Analogy', waar hij nogal trots op was. Hij keek ernaar, las de introductie en wat hij zag, voor het eerst, was de verregaande onbenulligheid van het artikel. Stelde niets voor. Misschien had het een stem in het kleine gezelschap van geleerden die dit artikel begrepen, maar wat begrepen ze dan nog?

In hoeverre hoorde een zondagmiddag tot het dagelijkse leven?

Johan had zijn armen op het bureaublad gelegd en overdacht drie dingen: een waardeloos artikel, een waardeloos leven en (sinds een uur) het feit dat hij gezocht werd.

'Ik heb geen spijt' kon hij altijd nog zeggen, voor zichzelf. 'Ik ben één geheel.' Maar nu was er een ontkenning in zijn bestaan gekomen, een barst en nu moest hij er spijt van hebben dat hij niet gewoon was blijven zitten en niet net zo ontsteld als de anderen de armen geheven hield. Of gewoon alles had opgebiecht.

Voor Roetie had hij een apart verhaal.

Spijt dat hij het niet verstandiger had aangepakt. Als je in alle rust nadenkt, hoef je geen fouten te maken, ook niet als je je arm om de keel van een jonge vrouw hebt geslagen om haar tot zwijgen te brengen. Dat hoeft verder niemand te weten. Ook niet dat je haar meteen erna te grazen hebt genomen, gewoon op de vloermat. In de wanhopige verwachting haar nog weer tot leven te wekken, maar weldra overschreeuwd door de triomf dat je tot deze lichamelijkheid überhaupt in staat was.

'Goeie god...'

Man. Op negenendertigjarige leeftijd.

Nu, een halfjaar later, word je geconfronteerd met de gevolgen en je betreurt je slechte toneelspel.

Nu al. Wat een stommiteit om je fiets... Die fiets staat aan het instituut geklonken en zegt: hier zit-ie.

Johan sloot zijn kamer en rende de trappen af. Hij trok de dubbele deur van het gebouw achter zich dicht, fietste even later anoniem allerlei zonnige straten in en uit.

De avond viel.

Hij at een paar kroketten, in de kleine ruimte van een snackbar en zat verder wat voor zich uit te kijken, te peinzen over de dingen die gebeurd waren. En die zouden komen. Nooit meer zou hij terug kunnen vallen op de rust van gisteren. Zijn professorale leventje – het was voorgoed voorbij.

Toen de straatlantaarns aangingen was het donker genoeg om op te stappen.

Hij fietste langs de singels, op weg naar het Houtkwartier.

Eenmaal onder dak bij Barbara zou hij alle verantwoordelijkheid van zich af kunnen zetten. Zoals men, eenmaal thuis, zijn jas uittrekt, zijn stropdas lostrekt en de zorgen van zich af laat glijden.

Wie hem iets verwijten wilde, kon hij wijzen op Barbara, die vreedzaam aan een trui breide, op zichzelf, bij het raam, met een krant, en zeggen: ziedaar, het geluk, wat wil je nou.

Maar Johan... kon haar bootje niet vinden. Langzaam fietsend onderzocht hij de waterkant. Fietste terug. Zag uit naar een grijze, gezonken woonboot die niet groter hoefde te zijn dan vier of vijf meter, maar bij de brug gekomen wist hij dat hij te ver was en hij maakte rechtsomkeert.

Hij bracht de nacht door in een hotelletje op de Parallelweg, aan het spoor. Hij zag, zittend op het bed, vele treinen voorbijrijden, vreemdkleurige internationale treinen op weg naar Parijs en Rome.

Zijn kamer was een kamertje, met een losse kast die de doorgang naar de deur belemmerde. Een witte wastafel stond de andere doorgang in de weg. Er was een verweerde spiegel aangebracht en daarnaast hing een kalender van het koningshuis. Op zo'n plaats kun je je veilig wanen en niet vermoeden dat je in een fuik gezwommen bent. Als je je veilig wilt voelen, namelijk, neem dan je intrek in een groot, onpersoonlijk hotel. Maar zo'n klein pensionnetje... Eén politiebericht op de tv en je bent erbij.

Hij bracht de nacht door onder de dekens, aan het voeteneind, als een hond.

Hij fietste in de buurt van Loosduinen. Het was de volgende dag.

'Voor de misdaad ben ik niet in de wieg gelegd.'

De reporter van het *Leidsch Dagblad* draafde met hem mee, nu en dan. 'U moet niet alles meteen gaan opschrijven,' zei Johan, 'ik formuleer alleen maar.'

'Ik wil de waarheid,' zei de man.

'De waarheid,' zei Johan, 'daar zijn we nog lang niet aan toe. De waarheid ligt aan scherven, begrijpt u? Ik heb geen verhaal.'

Je slaat op de vlucht uit angst, of lafheid. Maar dat is niet het enige. Op de vlucht gaat je bloeddruk omlaag. Dat geeft je het lichamelijke gevoel dat het goed is wat je doet.

Hij fietste in Antwerpen. En hij dacht 'gesignaleerd in Antwerpen, gesignaleerd op een terrasje op de Handschoenmarkt'. Hij liet zich door de zon beschijnen en verwarmen. Genoot ervan. Alsof het de laatste dag in zijn leven was.

Dit moment van geluk viel samen met het idee zijn vlucht te staken.

Een bal die je weggooit. Na een vrije reis door de lucht komt hij neer, stuitert over de stenen tot hij stilligt.

Tot hij terug is in de hand die hem wierp.

Twee dagen later vond hij de moed om terug te keren. Hij trof Roetie thuis aan en de eerste woorden waren moeilijk.

Wat hem bezield had... waarom hij het gedaan had.

'Vraag mij niets,' zei hij, 'ik ben teruggekomen om te boeten.'

Roetie nam plaats aan de telefoon en riep allen tezamen. 's Middags waren ze allemaal bij elkaar. George had, in overleg met Felix, en met Roetie, en met Eefje, een speciale koets gehuurd, een open boerenkar, waarop de kist stond. Op de bok zat de koetsier en de kar werd losgehaakt van Georges krachtige Dodge – was die even van pas gekomen.

'Jullie mogen me van alles in m'n gezicht zeggen,' zei Johan, 'als je maar eerlijk bent. Je mag van alles met me doen. Als je vragen hebt, ik zal ze beantwoorden. Zeg dat ik me moet ophangen en ik hang me op.'

Dat waren de weloverwogen woorden van Johan. Hij had er lang genoeg over kunnen nadenken. Hij was rustig. Onrustig waren de anderen.

Johan maakte de wagen klaar. Hij deed de goede dingen. Felix gaf hem het halster, zonder hem aan te kijken. Roetie had natte wangen en George sprak van 'een vriendschap die hiermee voorbij' was.

Johan bevestigde (desgevraagd door Eefje) de onschuld van Barbara. Over zijn latere ontmoetingen met Barbara zweeg hij. Evenmin kon hij aan haar huidige staat enig argument verbinden: dat ze gelukkig was, gelukkiger in elk geval dan een halfjaar geleden. Eefje herinnerde zich huilbuien, George daarentegen aanvallen van de slappe lach.

'Het was nog een kind.'

De tijd die daarmee heenging, in een discussie, gebruikte Johan om te zwijgen en met dit zwijgen maakte hij de nodige indruk: hij wist waarover hij praatte.

Wat Felix niet zinde, was dat hij, Johan, zolang gewacht had met het vertellen van de waarheid. 'En dan nog,' zei Felix, 'door de omstandigheden gedwongen. Als wij niet de afgelopen zondag hier bijeen waren geweest en onze gastvrouw hadden geprezen om – neem me niet kwalijk – dan had je nog steeds je bek niet opengedaan.'

'Nee,' zei Johan, 'en dat had ik wel moeten doen, dat was een fout.'

'Geen fout,' zei Felix, 'maar een strafbaar feit. Een halfjaar zwijgen is zevenenzeventig maal erger dan een ogenblik van onbedachtzaamheid. Dat kan iedereen overkomen, iets kan uit de hand lopen, maar durf daarover in elk geval je mond open te doen. Hoe oud ben je. Speel niet de hele tijd de onnozele.'

'Dat je je mond hield,' zei Eefje scherpzinnig, 'geeft aan dat je je schuldig voelde. Dus ben je aan beide schuldig. Dat wordt levenslang, jongen.'

'Ik heb zojuist aangifte gedaan,' zei Felix.

Johan zweeg. Waar hij volstrekt niet over spreken kon, was het vitalistische aspect van de zaak.

Roetie koos natuurlijk partij voor hem en vond dat 'de hele groep' schuld aan het misdrijf had. 'Als ik thuis was geweest, die middag, was het toch allemaal heel anders gelopen?'

Dat ze op dat tijdstip in de armen van George lag en dat Eefje – ach, dat sprak ze niet uit, maar vatte ze samen met 'wij allemaal en Johan feitelijk nog het minst'. Hád-ie het maar gedaan, dan waren zijn gevoelens eerder gekanaliseerd. Wat? Dat. De enige die dáárvoor had kunnen zorgen, was Eefje geweest, maar dat wilde Eefje niet horen. Wat haar goed recht was, maar in een kleine groep niet zonder terugslag blijft.

Op de bok zat de begrafenisondernemer, als koetsier, in het zwart. De hele koets was trouwens in het zwart, met zwarte doeken afgehangen. Evenwijdig, aan weerszijden van de kist, stonden twee banken, waarop vier passagiers hadden plaatsgenomen, twee aan twee, de ruggen naar elkaar. Felix zat naast Roetie en Eefje bleef niets anders over dan naast haar man George plaats te nemen. Ze groetten elkaar.

De enige die nog niet was 'ingestapt', was Johan. Hij stond met het halster in zijn handen en de reden dat hij daarmee aarzelde, was dat hij naast de koetsier... Barbara zag zitten, ook in het zwart, met een voile voor. Haar aanwezigheid, op dat moment, greep hem zo aan, dat de tranen hem in de ogen sprongen.

Barbara, die besloten had haar eigen begrafenis bij te wonen! 'Wat een conjunctie!' riep hij uit.

Eefje was op de grond gesprongen en zei: 'Vooruit, kom 's hier.'

Ze haalde een bokkentuigje tevoorschijn. Hij, Johan, liet zich inspannen. Eefje sommeerde de koetsier haar plaats naast George in te nemen. Zelf ging ze op de bok zitten, naast Barbara, ongeweten, en greep de leidsels, de zweep. Johan zette zich schrap, maar er was weinig beweging te bespeuren. De anderen bleven zitten waar ze zaten, nog steeds onder de indruk van wat ze meemaakten...

Pas toen Johan een tweede zweep over zijn rug voelde, kwam de zware boerenkar in beweging. Mijn God, dacht Roetie, van welke krachten is deze man bezeten.

21

Johan zag een aanzienlijk deel van zijn leven verzegeld. De vijftien jaar die hij 'gekregen' had maal tweederde, bij goed gedrag, is nog altijd tien jaar. Deze jaren zouden stuk voor stuk zijn vastgelegd, van tevoren ingevuld. Je kunt ze beter meteen overslaan. Hij was nu veertig en naast hem bevond zich een knop. Als hij die indrukte was hij tien jaar ouder, maar vrij. Hij drukte op de knop en was vijftig. Zoiets zou mogelijk moeten zijn. Zoals je een ziek, ongeneeslijk been kunt amputeren, zo zou je een saai, overtollig stuk leven moeten kunnen uitsnijden en 'nooit geleefd' moeten kunnen hebben.

Johan bleef in zijn bed liggen tot Roetie het huis uit was. Ze leende een auto van George. Hij douchte zich, zocht schone, nieuwe kleren uit en belde de universiteit dat hij ziek was.

Hij zat in de fauteuil naar buiten te kijken.

'Het is,' zei Roetie, die al voor de middag weer terug was, 'een zaak die ons beiden aangaat. Ik zal je wegbrengen, ik wil van ze horen wat er gaat gebeuren. Laten we meteen maar gaan. Heb je alles?'

De tocht langs de zwaar beschaduwde singels leek een rit naar het graf. Een begrafenisstoet van één eenzame auto. De kinderen, die midden op straat speelden, hielden de bal onder de arm, wachtend tot de auto voorbijgereden was. Roetie strooide zout in de sentimentele wonden door bij een ijskarretje te stoppen en hem te vragen of hij misschien 'nog een ijsco' wilde.

Een traan stroomde over zijn wang en op het ijsje toen ze weer verder reden.

Ze reden op de Willem de Zwijgerlaan. 'Het is voor mij ook nieuw,' zei Roetie.

Amersfoort. Ze reden een donkere laan in en kwamen terecht op een rond pleintje. De eikenhouten gevangenispoort stond wagenwijd open. 'Blijf zitten,' zei Roetie, 'ik zal eens informeren.'

Ze liep naar binnen en trof de portier op zijn plaats en deed haar woordje. Dat ze plaats zochten voor minstens een week, voor één man, in de geprivatiseerde sector. En dat ze verzekerd waren, particulier.

De man sloeg een blad om, en weer terug. Hij zette een vinkje, draaide zich om en nam een van de sleutels van het haakje. Een gewone hotelsleutel, aan een blokje hout. Plus een formulier. Plus een plastic zeiltje. Plus een bewaker, die zich op de achtergrond hield.

Het was 'net een hotel', vond Roetie. Johan zweeg. Min of meer verscholen achter Roetie liep hij met haar mee als niet meer dan haar koffertje. Ze passeerden de balie. In de lift haalde hij diep adem – voor de volgende sprong.

Hij herinnerde zich een passage in een Franse roman over twee jonge geliefden die, om met elkaar te kunnen slapen, een hotel binnengaan, voor het eerst van hun leven en hoezeer ze zich daarvoor generen.

Het zou, zeker, een hotelkamer hebben kunnen zijn. 'Het valt míj mee,' kraaide Roetie telkens. Maar hoe kun je een stervende vertellen dat het jóú meevalt, zijn dood?

Er werd nog wat gepraat. 'Je zult zien, de tijd is om voor we er erg in hebben.' Pas toen ze bij het afscheid de hand opstak, zag ze in zijn grijze ogen een torenhoog verdriet, omdat zij hem nu ging verlaten en het touw waaraan ze hem altijd uit de afgrond omhoog had weten te houden – op het punt stond te breken.

De deur viel in het zware, geoliede slot. Hij draaide zich

om, om zijn toekomstige gebied te overzien – het gebied dat Roetie had bestempeld als 'een hotelkamer'. Ze keek nog één keer naar binnen. Door het getraliede luikje zag ze hem staan, zijn dunne nekje rechtop, tot tranen haar het zicht op haar held ontnamen.

Johan zag op de lage tafel een half dozijn tijdschriften, *Het Beste* uit Reader's Digest, gestapeld als een wenteltrapje. In de hoek op de grond een doos met Lego-blokjes. Het leek wel een wachtkamer waar hij was beland.

Het was erger. Hij had een paar uur in een stoel gezeten, voor zich uit gekeken in het besef dat een leven dat niet verrijkt wordt door nieuwe indrukken uit de omgeving, een kaal leven is en de omgeving geen omgeving, maar een anonieme ruimte. En die ruimte heeft (okergele plavuizen, witte tegels) alle trekjes van een badkamer. Je moet je voorstellen, zou Johan later zeggen, ze hebben je opgesloten in een ruimte die nog het meeste weg heeft van een grote, witbetegelde wc. Wat doe je daar de hele dag. Zitten? Liggen? Als je vierentwintig uur bent opgesloten met een wit porseleinen beest?

En zo schoon. Je laat een scheet en je hoort een brommende toon: dat je lucht wordt afgezogen.

Over de stoelleuning het gratis stuk plastic dat hij had gekregen om over zijn hoofd te gooien, teneinde niet herkend te worden. Bespottelijk.

Felix was het er niet mee eens. Hij 'wilde gezegd hebben' dat de gang van zaken hem absoluut niet aanstond. En als Roetie bepaalde wat er met Johan gebeurde, dan bepaalde hij wat er gebeurde met de nalatenschap van Barbara, inclusief haar recht op vergelding.

Het is ook Felix die het in discussies telkens zal hebben over 'de kogel'. En George zal hem bijvallen: 'Zo niet de facto, dan wel de jure'. Hij 'krijgt de kogel' en daarmee, licht men toe, *het recht* op de kogel. 'Vergeet dat niet. We sluiten – nee, we laten hem alleen met een geladen pistool. Hij kan dat gebruiken om een eind aan zijn leven te maken.'

'Hoe kom je aan een pistool?' vroeg Roetie droogjes.

'Da's geen probleem,' zei George.

'God man,' zei Eefje, 'kijk niet zo bloeddorstig.'

'Dat we vrienden zijn,' bracht Roetie naar voren, 'laat dat alsjeblieft meetellen. Je valt me tegen, Sjors.'

'Laten we even over wat anders praten,' stelde Eefje voor.

'Lijkt mij een goed idee,' zei George.

'Goed. We wachten af,' zei Felix.

22

En Johan? Hij bevond zich op het kruispunt van liefde en haat. Hij zei: 'Ik doe mijn best. Ik zal zorgen dat ik er beter uit kom dan ik erin gegaan ben. Ik ben een plant die alleen 's nachts in bloei staat. Het kon wel eens mijn vruchtbaarste tijd blijken te zijn.'

'Ik ben hier waarschijnlijk heel geschikt voor.'

Hij dacht aan Poncelet. Het was de Franse luitenant Jean-Victor Poncelet die in Russische gevangenschap, van 1812 tot 1814, in de donkerste uren van zijn bestaan, op de bodem van de put, de projectieve meetkunde heeft uitgevonden en ontwikkeld. Deze meetkunde, ook wel geheten 'de meetkunde der schaduwen', negeert dingen als afstand en hoek. Wat telt zijn de *verhoudingen* van afstanden en hoeken. Die zijn bij projectie invariant en hard, als diamant. Van een schemerlamp zie je de cirkel als een ellips en de projecties op de muur als hyperbolen met takken die uitslaan naar alle kanten: hoogten, diepten en verten die pas bij elkaar komen in het oneindige. In de projectieve meetkunde is dat allemaal hetzelfde en ligt het niet verder weg dan de punt van je potlood.

Moskou, 1812. Johan was van plan een soortgelijk huzarenstukje uit te halen.

Gesterkt door zijn eigen Spartaanse voornemens zei Johan volmondig 'ja' tegen het gevangenisleven.

Tien jaar is veel. Maar voor wie zich een doel stelt, zijn tien jaar misschien wel te weinig. 'De nieuwe mens', zo noemde hij zijn project. Het zou hard werken worden.

Je moet twee dingen tegelijk kunnen, pas dan kun je het. Bijvoorbeeld: twee heuvels tegelijk beklimmen.

Poncelet, die kon het.

Johan lag op zijn bed en deed de tv aan. Wel prettig, na een eenzame dag wat mensen te horen praten.

Maar hij dacht aan Poncelet, die geen tv tot zijn beschikking had gehad en geen radio. En Johan deed zijn tv weer uit.

De avonden en de nachten – er waren nog maar een paar etmalen verstreken of hij was de tel al kwijt: heb ik nu twee nachten geslapen of drie.

Hij hield zijn adem in om alle geluid op te vangen. Hoe meer oor, hoe meer hij opving.

Zijn oren spitsten zich.

Zijn oren kregen de lepelvorm van die van een konijn. Ze draaiden en richtten zich op waar maar geluid vandaan kwam en wat ze hoorden was: niets.

Wat hij hoorde was het geluid van laarzen aan de andere kant van de muur. De laarzen waren de drager te groot. Misschien was het een vrouw.

Het maakte niet uit of je door een man bewaakt werd of door een vrouw, of door een hond.

Het geluid verdoofde hem met z'n stilte en hij zou niet weten wat voor dag het was.

Hij werd wakker, zittend op de wc, zijn hoofd tussen de knieen.

Omdat hij zich schuldig voelde.

Ze kwamen niet terug, de bewakers. Ze bleven ergens boven staan, op een balkon. Ze werkten met microfoons, die ze lieten zakken.

In het algemeen wilde de vis wel bijten. Aan zijn neus, aan een haak werd hij opgehaald, de gevangene. Of aan zijn lange oren.

Het grootste probleem, in de gevangenis, is niet het lichaam, niet de geest, maar de ziel, de stervende ziel.

'De ware vitalist is niet bang voor de dood,' meende Johan, aan de telefoon. Hij had een register opengetrokken dat zijn stem een felle klank verleende. 'Niet bang voor de dood,' herhaalde hij, als betrof het een dictee.

Roetie glimlachte. Die gedachte stond haar wel aan. 'De vraag alleen is,' zei ze, 'waarom je niet bang bent voor iemand: is 't omdat het je vriend is of is 't omdat het je vijand is voor wie je niet bang bent omdat je sterker bent.'

'Niemand is sterker dan de dood,' wist Johan.

'Dan is de dood je vriend,' concludeerde Roetie.

'Een vriend voor het leven.'

's Avonds zit hij voor het raam, en hij stelt zich voor dat het water de ruit doormidden snijdt en dat hij de krant leest.

'Men hoeft maar van de bladen op te kijken om te beseffen welk een geluk hier huist.'

Achterberg is hier geweest.

Waar blijft Nederik.

Er is geen God.

Hij had het op zijn spiegel geschreven, met tandpasta: 'Er is een God, maar die kennen wij niet. Hij wijkt voor onze kennis. Hoe meer wij weten, des te minder zullen wij geloven.'

'En jij begrijpt dat?' vroeg Roetie.

'Ik heb het zelf bedacht,' zei Johan. 'Ik stel het en die stelling geeft mij rust. Mijn geest is oké. Ik hoop op een spoedige aankomst van potlood en papier. Dat ik alles kan opschrijven. Mijn ideeën en mijn gevecht met het witte beest. Ik moet daar wel aan wennen. Maar als het mij lukt aantekeningen te maken van mijn waarnemingen rond het lamplicht, heb ik van dat beest geen last. Door het raampje kan ik zien in welk seizoen we leven. Ik ga de dagen tellen. Aftellen. Dat ik uitkom op nul. Dat ik al mijn dromen opgeschreven heb. Veel dromen zijn te vaag, de herinnering eraan verdwijnt al tijdens de beschrijving. Dromen die ontstaan zijn uit pijn komen evenmin op papier.'

'Ik moet wit papier hebben, niet dat gekleurde.'

'Ik hoef geen kerstboom met de kerst.'

'Je moet,' zegt Roetie, 'zoveel mogelijk op touw zetten, in jouw situatie. Niet bij de pakken – precies, een grote bek. Heb maar een grote bek.'

23

Ze vertelde het hele verhaal. 'Ik heb,' besloot Roetie, terwijl ze zich door een reeds ongeduldige George liet aanhalen, 'hem een jaargang *Science* cadeau gedaan.'

Daarmee was het onderwerp Johan dan ook weer afgesloten en kon ze zich aan haar agressor overgeven.

'Ouwe reus, laat 's zien wat je kunt.'

Hij liet zien wat hij kon. Zij ook trouwens; je moet een vrouw niet uitvlakken, in bed.

Ze lagen naast elkaar op hun rug naar boven te kijken en uit te blazen.

De poster aan de wand was nieuw.

'Gabo?'

'Geen idee,' zei George.

'Ik vind het geen mooi ding,' zei Roetie, 'ik zou het zelf niet aan de muur willen hebben. Maar Felix vindt het mooi.'

'Je hoeft niet alles mooi te vinden,' zei George.

'Er komt een grote beeldententoonstelling in ons land,' zei Roetie. 'De beroemdste werken van de wereld.'

'Dat zal me wat kosten.'

Ze waren lange tijd stil.

In het brein van George draaide een motor. Hij zocht de juiste woorden en toen knapte het naar buiten.

'Ik háát kunst.'

'Wat zeg je?'

'Ik háát kunst.'

'Schat, meen je dat nou?'

'En ik ben niet de enige.'

[...]

'Je kunt het voorspellen,' zei hij, 'rustig grasveldje. Beetje voetballen 's avonds, maar meestal niet. Meestal gewoon: vrij uitzicht. En dan staat er iemand op in de gemeenteraad, een knakker die vindt dat daar een beeld moet komen. En dan komt daar na twee jaar en drie ton een beeld, dat in de eerste plaats afschuwelijk lelijk is, in de tweede plaats je het uitzicht beneemt op de overkant en in de derde plaats omvalt als je er een schop tegenaan geeft. Dus er wórdt tegenaan geschopt en het vált om en de kunstenaar treurt. Terwijl hij erom gevráágd heeft. Maar ja, dat krijg je als je lelijke kunst maakt. Trappen ze in elkaar. Zagen ze omver. Spuiten ze vol met graffiti... Nee, je moet mooie kunst maken, waar ze met hun poten vanaf blijven, omdat ze er ontzag... In het Molenplantsoen. Ga maar 's kijken. Daar staat een bizon van steen. Een Amerikaanse bizon in al zijn kracht. Uit graniet gehouwen. Práchtig. Staat niemand in de weg. Géén graffiti. Niets. Af.'

Hij draaide zijn hoofd opzij, om te zien of ze er nog lag, na deze monoloog. Ze lag er nog en was op haar zij gaan liggen om hem te zien praten, en zijn borstkas te zien dalen en stijgen. Wat een man.

Ze kroop nog meer naar hem toe, zodat hij zijn arm om haar heen legde, en zij in zijn oksel kroop. Daar paste ze haast helemaal in. Ze was niet veel groter dan zijn oksel.

Hij bespeelde haar tepels, die dichtbij elkaar lagen, als van een varkentje.

[...]

Er gaat dan van alles door je heen.

24

Het is een bekend feit dat.

Alle feiten zijn bekend, maar het is niet bekend hoeveel gevangenen er stierven aan ziektes, uitputting en 'algehele mistroostigheid' – dat is niet bijgehouden. Zoiets hou je niet bij, in het begin. Is geen feit.

En toch, het is maar een stap. Iemand die gestraft wordt met levenslange opsluiting – zo iemand sterft dagelijks. Ook voor menig arrestant, vastgehouden in een Huis van Bewaring, zijn die paar weken te lang gebleken om ze te overleven.

'De eerste weken zijn het langst,' wist George te melden.

Johan las.

De moraal als wetenschap.

Wat hij leerde was: niets te vragen. Hij dopte zijn eigen boontjes, en werd beloond met de toezending van een rubberen liniaal.

Johan probeerde de mens te leren zien als een 'singuliere transformatie'. Een wiskundig inzicht waarmee hij vooruit kon.

'Afschuwelijk!'

Johan had even aller aandacht en die gebruikte hij zoals gewoonlijk door te choqueren. Wanneer was het. De laatste keer, bij Felix. In het piepkleine kamertje van Felix, waar je je weer helemaal student voelde.

'Maar het is de waarheid.'

'Ik wíl helemaal de waarheid niet,' zei Eefje nukkig, 'ik wil het sprookje.'

'Ach,' zei Johan, 'sinds Kuhn weten we dat alle wetenschappelijke uitspraken geënt zijn op betrekkelijk willekeurige paradigma's en dat het er niet toe doet.'

'Niet helemaal,' zei Felix. 'Elk paradigma is beter, algemener, inzichtelijker dan het vorige. Daarom weten we nu meer dan honderd jaar geleden, niet alleen in feiten, ook onze veronderstellingen zijn geraffineerder. Eefje, je hebt gelijk, dat haal je nooit meer in.'

'Laat je niet ontmoedigen, Eef,' zei Johan. 'Neem een voorbeeld aan Einstein. Die kon de zwaartekracht verklaren met argumenten,' hij sprak weer tegen Felix, 'die meer lijken op die Newtons voorlopers hanteerden dan op die van zijn opvolgers. En hoe we heden ten dage over de ruimte denken – sommige van de ruimtelijke eigenschappen lijken een beetje op die vroeger, vóór Maxwell, aan de ether werden toegekend. Wie had dat gedacht. Dat duidt erop dat de waarheid een soort kern is, die zich niet laat kennen dan via cyclische redeneringen en dan nog in tegenstrijdigheden, een verborgen kern-van-de-zaak, een *pièce de résistance* waar je omheen loopt om het van verschillende kanten te kunnen bekijken. Opgescheept dus met metingen die elkaar tegenspreken.'

'Dan geef ik,' riep George, 'geen cent meer voor die wiskundige zekerheid van jou!'

'Voor de wiskunde geldt dat allemaal niet,' was het ijskoude antwoord van Johan. 'Wiskunde is niet gebouwd op paradigma's, maar op axioma's. Axioma's zijn invariant onder de transformatie van Kuhn.'

'Dan is wiskunde geen wetenschap,' vond George.

'Dat is het juiste antwoord.'

George keek triomfantelijk in het rond: hij had zomaar wat gezegd en het was raak. 'Goed, hè?'

Roetie applaudisseerde zachtjes en Eefje, omdat ze even uit het beeld was, herhaalde dat ze van sprookjes hield. Ook in filosofische kwesties. Waarop Johan herhaalde dat 'filosofie' één groot sprookje was, haha! Waarop hij, twee dagen later, een briefje van Eefje kreeg–'Hallo die Johan'–met de bekentenis dat ze misschien wel een filosofe was, in haar kunst, meer dan een kunstenaar, omdat wanneer ze aan het werk was daarbij zoveel nadacht, dat ze dat ervoer als noodzaak en dat, tenslotte, hij nu meteen 's kon zien wat een afschuwelijk handschrift ze had, want, schreef ze, schrijven is nu eenmaal niet mijn hobbij, met cirkeltjes op de i en de j.

Ach, wat verlangde Johan opeens terug naar die tijd, waarin ieder zijn beste beentje voorzette om er maar een gezellige, spirituele praatavond van te maken–zonder té veel te zeggen, want de verhoudingen bleven geheim, die kwamen althans niet aan de oppervlakte. Johan moest zich niet voorstellen hoe Felix en Eefje... Of wat Eefje ervan vond: van Felix' witte wetenschapsbenen. Aan de andere kant, dat fabriekje van hem loog er niet om. Hij herinnerde zich het commentaar van Roetie.

Johan stond op en sloot de gordijnen, om verder te gaan met waar hij gebleven was: het vraagstuk dat voortkwam uit zijn eigen problematiek: die van de singuliere transformatie, oftewel: de sprong.

Je beklimt een heuvel, bereikt de top en klimt verder. Je wil om iets te bereiken beperkt zich niet tot deze heuvel.

'Het is een gedachte-experiment. Je oefent en je oefent–om je voor te stellen hoe het komt dat je zo ongelukkig bent. Je wilt kunnen zeggen, goed, ik ben ongelukkig, maar dat betekent niets. Komt hoogstens omdat ik het onmogelijke nastreef.'

'Inderdaad, zo begrijpen we het. You will be damned if you do and you will be damned if you don't.'

'Precies! Waar heb je dat gelezen? Waar heb je dat vandaan? Van wie is het?'

'Dat weet ik niet. Ik heb het ergens gelezen, op een wc in Schotland. En het omgekeerde geldt ook. Je doet het ene én het andere en je zult er niet voor veroordeeld worden.'

'Dat spreekt vanzelf, maar daar gaat het mij niet om. Ik moet mijn leven veranderen.'

Wat opgesloten zat, kwam via de snijdende stellingen van de wiskunde tevoorschijn en zou in open lucht tentoon staan.

Een meetkunde die de vorm van zijn wc-pot beschreef.

Via de waterleiding verbonden met de Rijksuniversiteit.

Johan schreef zijn nieuwste dromen op, met het spijtige gevoel dat het maar dromen waren gebleken.

Hij was er vannacht nog zo van overtuigd.

Barbara had hem opgezocht. Ze was bij hem in bed gekropen en had 'm in zijn oor gefluisterd–hij verstond het niet en zij herhaalde het: dat ze van hem hield.

Hij geloofde het en het verwarmde hem. Hij streek haar haren weg uit haar gezicht om ruimte te maken voor een kus. Zij gleed uit haar broek, die bleef vastzitten aan een haakje, ergens. Johan hielp haar, maar ook hem lukte het niet het weerspannige kledingstuk los te krijgen; hij zag het niet goed. Nou, zei ze, dan gaat het hele feest niet door. Ze kwam overeind, pakte haar spullen en verliet het vertrek.

Meteen ging de telefoon. Roetie. Ze vroeg hem waar hij 'mee bezig' was. Nergens mee, zei hij, ik probeer te slapen.

Voelde hij zich eenzaam? Ja, erg eenzaam.

'Huil je?'

'Ja...'

'Heb je niemand om even bij te schuilen?'

'Nee...'

'Zal ik Eefje vragen?'

'Ja, misschien kan Eefje komen...'

Het klagen van een gewonde. Het verstierf in een grote stilte. Roetie was op zoek gegaan naar Eefje en kwam niet weerom.

Zo bleef Johan met de hoorn tegen zijn oor zitten, terwijl hij allang was ingeslapen.

Hij droomde dat hij een telefoon had en aldoor met de hoorn tegen zijn oor bleef zitten wachten.

25

Hij schreef een brief over zijn ervaringen als gevangene, maar het was geen rustige, informatieve brief. Hij verscheurde hem en bleef met de snippers zitten. Zijn bewakers zouden die snippers willen lezen. Hij spoelde ze weg door de wc, maar ze kwamen terug en bleven bovendrijven.

Een paar snippers viste hij uit het toiletwater en legde ze te drogen in de vensterbank. 'Vierkant in hun gez' en 'van mij een 3de persoon m' – dat leken hem de juiste woorden, een stormbal. Toen ze droog waren deed hij ze in een envelop, die hij dicht likte en verstuurde.

Eefje kreeg een paar snippers 'van een verscheurde ziel' en belde Felix om te overleggen wat hun te doen stond.

Felix had een nieuwtje. Hij was zojuist geslaagd voor zijn rijexamen. 'Ga weg.' 'Ja, net een halfuur geleden.' 'Nou zeg, gefeliciteerd.' 'Ja, fantastisch, hè. Afrijden om zeven uur 's morgens. Zeven uur, lekker stil op straat.' Ja, hij had puur mazzel gehad. Als je bovendien rekende dat hij voor een overweg, toen de hele karavaan zich weer in beweging zette, was opgetrokken in z'n twee...

Dus, wat dacht ze ervan.

'Op naar Amersfoort. En we maken er een leuk ritje van.'

Een marmeren vloer, een aquarium op poten en kunst aan de wand. 'Een crematorium,' vond Eefje toen ze samen in de grote kamer stonden te wachten. Door de glazen deur naar de gang zagen zij een bewaker naderen, met veel sleutels. Met twee sleutels en een code kreeg hij de glazen deur open en hij nodigde het tweetal uit naar binnen te gaan.

Ze hadden gedacht Johan te ontmoeten in een soort tussenruimte, maar Johan had de telefoon niet opgenomen. 'Misschien is hij paardrijden,' meende de bewaker. 'Hij kán ook met streekverlof zijn.'

'Dan zouden wij dat toch wel hebben geweten,' meende Felix.

'Wij ook,' zei de bewaker. 'Laten we 's gaan kijken.'

Ze gingen nu alledrie door de glazen deur, die achter hen werd gesloten, met de twee sleutels en de code, liepen door een lange, schemerige gang met kunst aan de wand, stonden in een lift en liepen op de tweede verdieping, almaar met de bewaker mee totdat ze bij de kamer van Johan kwamen.

De bewaker behandelde ook deze deur weer met een zorgvuldig uitgekozen tweetal sleutels, tikte een code in en liet de gasten naar binnen gaan. Zelf ging hij mee, om de deur te sluiten.

Ze stonden met z'n drieën in een lege kamer. Geen Johan. Uit de badkamer kwam geluid. Eefje stapte er naar binnen. Er was niets dat dat geluid verklaarde. Het douchegordijn waaide heen en weer, maar het was een leegte die waaide...

'Hij is niet thuis,' zei de bewaker.

Hij was wel thuis. Felix had beter gekeken. In de hoek stond Johan, haast smaller dan het samengeschoven douchegordijn. Om zijn middel had hij een handdoek geslagen. Hij kwam tevoorschijn, gebukt als uit een schuilplaats, betrapt.

Hij kleedde zich aan, de gasten wendden zich af en praatten wat.

De bewaker maakte van de douchekraan een stuk nylonkoord los.

'Dit speelgoed zullen we maar even meenemen.'

De bestraffende toon. Een striem over z'n ziel. Johan keek in de spiegel, bracht zijn haar in fatsoen.

'Neem me niet kwalijk. Wat is de bedoeling?'

'We wilden 's zien hoe je het maakt,' zei Felix.

'Als u met elkaar gaat praten,' zei de bewaker, 'kunnen we beter naar de conversatieruimte gaan.'

Ze volgden gedrieën de bewaker, via de lift, naar de conversatieruimte. Dat was geen verbetering, want Johan was nu van zijn gasten gescheiden door een glazen wand, zoals men in loketten van stations aantreft. Een rond venster van gaas, daar werd in gesproken.

De bewaker had het sein gegeven: begint u maar.

Johan deed een stap naar voren en sprak: 'Wat leuk dat jullie mij bent komen opzoeken.'

Felix keek naar de bewaker om toestemming en sprak: 'Ja, we dachten, misschien heb je bepaalde dingen nodig. Dat we die de volgende keer kunnen meenemen. Boeken bijvoorbeeld.'

'Vertel 's Johan,' zei Eefje, 'wat voor boeken lees jij de laatste tijd? Ik lees tegenwoordig die boekjes van Howard Mill. Fascinerend.'

'Ja,' zei Johan, 'ik ga veel lezen. Ik heb een afspraak met de UB, zij zullen het een en ander voor me regelen en wat jullie betreft, mensen, Eefje, ik waardeer je... ik waardeer je goede bedoelingen. Ik hou van je.'

Maar dat laatste zei hij niet, want dan was hij Eefje kwijt geweest, dan waren zijn kansen verkeken. Bovendien, grote uitspraken deed hij liever als de zon weer scheen. Als je gesnapt bent in de douchecel, met een raar nylonsnoertje in de weer, moet je je mond houden, dan is elk woord verkeerd, wat je ook zegt.

Wordt tegen je gebruikt.

'Een kogel heeft hij niet nodig,' zei Felix scherp, wachtend op groen, achter zijn eigen stuur. 'Hij zorgt wel voor zichzelf. Je moet er rekening mee houden dat ze hem op een morgen in de lus vinden. Zo stroop je konijnen.'

'Dan zijn we nog maar met ons viertjes,' grinnikte Eefje.

'Hij staat trouwens nog te wuiven.'

Ze zag het in haar spiegeltje en Felix zag het ook, in zijn spiegeltje: een man achter het raam die hen wanhopig nawuifde.

Felix draaide het raam naar omlaag, stak zijn arm naar buiten en wuifde terug.

26

Het bericht van zijn vrijlating, na vrijspraak door het Hof, kwam als een volslagen verrassing. Het had niets te maken met zijn in eenzaamheid ondernomen avontuur. Men achtte zijn aandeel in de dood van Barbara niet bewezen, noch wettig, noch overtuigend en Johan kon zijn papieren bij elkaar nemen en de poort uit lopen, hij was vrij.

Hij kon een taxi laten voorrijden en instappen met alle spullen die hij in zijn bezit had. Hij kon een trouwauto laten komen met aan de antenne rood-wit-blauwe wimpels, en de pers erbij. Hij kon zijn vrouw laten komen.

Hij belde Roetie, die in gesprek was – omdat zij hém belde.

Ze 'kwam eraan' en aan de antenne voerde ze een *witte* wimpel.

De voordeur was versierd met sparrengroen. Boven de deur een boog met WELKOM.

Gevangenisstraf is niet voor mannen die een stropdas dragen. Keurige mensen komen niet in de bajes. Wat ze ook op hun kerfstok hebben – als ze keurig zijn, een heer, zul je ze niet gauw achter de tralies aantreffen.

George vertelde het sterke verhaal van de makelaar T., die in zijn functie als voorzitter van de voetbalvereniging FC Gorkum voor 'een slordige vijf miljoen' had gefraudeerd en daarvoor een jaar gekregen had – en al de tweede dag werd vrijgelaten: omdat hij er naar zijn zeggen niet tegen kon gevangen te zitten.

'Dus die liep gewoon de poort uit. Die vertelt nu aan iedereen dat-ie onschuldig is.'

Roetie: 'Johan is écht onschuldig. Dat is nu bewezen.'
Felix: 'Geloof je het zelf?'
George: 'Ze hebben niet kunnen bewijzen dat hij schuldig is. Dat is wat anders.'
'Onzin,' riep Roetie. 'Hij is vrij. En wij zijn blij!'
Felix, op zijn beurt, had liever gehad dat 'Napoleon nog even op Elba gebleven' was. Wel zo rustig. Daarbij kwam dat hij, in zijn oordeel, zich niet gebonden achtte door een uitspraak van het Hof. Voor hem was Johan schuldig aan het feit dat zij, Barbara, door zijn toedoen het leven had gelaten. Geen schuld zonder straf, dus dat de straf nu uitbleef of zelfs werd opgeheven, dat ging in tegen zijn gevoel voor rechtvaardigheid: 'Wie brokken maakt draait op voor de gevolgen. Is er sprake van dood, of dood door schuld, dan moet er sprake zijn van een straf die erg dichtbij deze dood in de buurt komt.'

'Wie met opzet onschuldigen heeft gedood verdient, dat is de consequentie, geen ander lot dan die dood te delen.'

's Avonds was het huis vol. Plop, elke keer ging er weer een fles open. Dat was George. En Roetie liep rond met allerlei hapjes. Het was feest.
Ze wist overigens te vertellen dat ze een steen door de ruit hadden gekregen.
'Heb jij een steen door je ruit gekregen, Johan?' vroeg Felix zoetsappig. 'Dat is niet leuk. Blijkbaar weten ze waar je woont.'
'Wie bedoel je met "ze"?'
'Ik weet niet,' zei Felix luchtig. 'Een van de acht miljoen krantenlezers misschien? Je hebt per slot in de krant gestaan.'
Johan haalde zijn schouders op. Hij moest aan Barbara denken. Hij zag hoe zij die fles wijn van hem bij zich had gestoken en hoorde de woorden die zij daarbij sprak: altijd een goeie handgranaat.
'Waar denk je aan?' vroeg Roetie.

De discussie werd voortgezet. George wond zich op over het grote aantal 'heenzendingen'. Meer dan vijftig procent!

'Cijfers en percentages interesseren mij weinig,' zei Felix. 'Je moet elk geval apart bekijken.'

'Dat moet je juist niet,' zei Johan. 'Als je rechtvaardigheid nastreeft, streef je gelijkheid na. Dan zul je erop toezien dat de weegschaal horizontaal staat. Wettig en overtuigend. Een bewijs is wettig als het voldoet aan alle formele eisen die je aan een bewijs mag stellen, geen fouten hebt gemaakt, en overtuigend is een bewijs als je er zelf ook in gelooft. Een bewijs is een samenspel van waarheid, logica en retorica, een wedstrijd die geen van de drie mag verliezen.'

Roetie: 'Beter dan te vervallen in emotionele taal, is het een advocaat in de arm te nemen, een die vaker met het bijltje –kijk, het is een cultuur op zich. De feiten kennen we meestal wel, maar het gaat erom in de afweging van een en ander de juiste toon te treffen.'

Johan: 'Er is een analogie in de wiskunde. Iedereen weet dat 2 plus 2 gelijk is aan 4. Het is waar, maar nog niet zo gemakkelijk te bewijzen. Het blijft een dilemma. God bestaat omdat de wiskunde waar is, boven alle twijfel, en de duivel bestaat omdat we het niet kunnen bewijzen. Dixit André Weil. En zoals de duivel bestaat, in die zin bestaat ook zijn advocaat. Daarom: als je mij nou vraagt, ben je onschuldig aan de moord op Barbara, dan zeg ik in dit stadium, dat weet ik niet. Ik heb haar–laat ik dit zeggen: door mijn toedoen is haar leven erbij ingeschoten, maar ben ik schuldig? Vraag dat maar aan de rechter. Misschien is zij wel schuldiger dan ik. Bekennen heeft in elk geval geen zin. Ik kan immers van alles "bekennen" en het niet gedaan hebben.'

Hij stond op, pakte zijn jas en zei dat-ie met een kwartiertje terug was. Iedereen zag toe, Roetie gaf hem haar consignes mee en Felix kreeg een knipoogje van Eef.

Hij haastte zich naar de Breestraat alsof hij een afspraak had. Hij liep van het ene einde naar het andere, en weer terug, maar geen vrouw die op hem had staan wachten en nu naar hem toekwam met de woorden 'mag ik een arm van je?'.

Het was een fysiognomiek probleem. Elke vrouw was 'anders'. Hij zou haar nooit herkennen.

Wie kon hij aanklampen en vragen om een gunst?

Hij werd nerveus. Hij liep weg van de Breestraat en stak het plein over, richting Centraal Station, misschien was hij niet te laat.

Nederik, onze Nederlandse God, is alomtegenwoordig, maar moeilijk bereikbaar.

Johan begon te beseffen hoe stuurloos zijn leven zou zijn zonder het zicht op een gerechte voortgang.

De maan kwam op, keek over de daken en zei: ik ben uw verdriet.

God is geen rechtvaardige god. Velen zullen bij hun dood het gevoel hebben dat hun onrecht is aangedaan dat nooit is rechtgezet. Ze hebben geleefd, maar waarvoor? Ze gaan tenonder in tranen.

'Gedood te worden door een steen die valt of door een steen die is geworpen – daartussen is geen verschil, voor God. In mijn ogen tenminste.'

Daar is iets voor te zeggen, als je een minnaar van de schoonheid bent. Het is een beeld uit de mechanica. Het is het standpunt van de bioloog: prooi en roofdier zijn gelijkberechtigd. Het roofdier doodt zijn prooi. Wij zijn geneigd op te komen voor de zwakke en het roofdier af te houden van zijn voornemen. Daarmee houden we de prooi in leven en veroordelen we het roofdier tot de dood. Maar zowel het ene als het andere leert ons dat het ideaal niet consequent kan worden doorgevoerd. De ingreep is marginaal.

In die trant wist Johan uit te leggen dat straffeloosheid-als-principe niet noodzakelijk uitloopt op een totaal slechte wereld. Ook in de wereld van goed en kwaad is er een schommelend evenwicht tussen beide.

'Dat is minder absurd dan je zou denken. Op de lange termijn lost alles zich vanzelf op. Naarmate we minder straffen, is er minder straf en dus ('geen kwaad zonder straf') minder kwaad in de wereld. Wat gisteren verboden was, wordt vandaag door de vingers gezien. Boeven wordt de helpende hand geboden, ook als ze jou naar het leven staan. Je hebt te maken met mensen,' zo vatte Johan samen, 'waarvan je niet weet of je ze nou moet doodschieten dan wel subsidiëren. En daarom geloof ik in het hiernamaals.'

Nederik glimlachte. 'De gewelddadige dood krijgt misschien wel een heel andere functie.'

Johan: je begrijpt wat ik bedoel. Steeds minder legt het kwaad enig gewicht in de schaal.

Van tijd tot tijd ontdekt men een dubbelster.

Twee sterren die om elkaar heen draaien en die, vanaf de aarde gezien, beurtelings hun rode en dan weer blauwe of gele licht laten schijnen.

Van tijd tot tijd ontdekt men nieuwe vormen van goed en kwaad.

En dit alles zonder een rechter in het hiernamaals.

Uit het gesprek van Johan met Nederik (opgenomen bij de ingang van het station) noteren wij dat hij, Johan, zich sinds 'Barbara' een man voelde, en dat hij had nagedacht over de woorden van Felix.

Dat hij, om zich een man te kunnen voelen, een vrouw nodig had.

‘Dat spreekt vanzelf.’

‘Ja, nee, in mijn geval spreekt dat niet vanzelf. Immers, dit alles speelt zich af aan deze maar ook aan gene zijde, dus op de drempel van de dood.’

‘De dood heiligt alle middelen,’ zei Nederik zacht.

‘De liefde,’ zei Johan, ‘heiligt de dood.’

‘Zo zou je het ook kunnen zeggen, dat is waar. Dat is misschien het simpelste. Maar als dat zo is, weet je welke gevolgtrekking je kunt maken.’

‘Dat haar liefde ook mijn eigen dood heiligt.’

Hij sloeg zijn ogen neer.

‘Dan zijn wij het eens,’ zei Nederik. ‘En ga ik er nu vandoor.’

Nederik ging er inderdaad vandoor, sneller en gehaaster dan je zou denken dat nodig was, voor iemand zonder lichaam.

Johan, voorlopig nog met lichaam, stak een sigaret op.

Alsof hij, op de punt van de maan gezeten, bevrijd was van de aarde en zijn zwaartekracht.

De maan – je ziet het niet omdat je meebeweegt, maar straks, als je vrij bent, vrij van de wereld en zijn beslommeringen de hemel aftuurt, zie je wat een capriolen de maan moet uithalen om bij te blijven.

Vergeet niet, hij draait om de aarde.

Zo zie je de mensheid, de levende mensheid in flarden aan de aarde hangen en door de ruimte gaan.

Een zakdoek die onophoudelijk wappert ten afscheid. Een mens wil zolang mogelijk gezien worden.

Iemand, eenzaam in de duizendkoppige menigte, houdt halsstarrig een rood agendaatje omhoog: hier sta ik.

Iemand praat en praat en hij houdt niet meer op met praten omdat hij achter een microfoon staat. Zijn vinger tikt als een hamertje op het papier.

Hoef jij nooit meer te doen, straks.

Er komt een arrenslee vol met rechtsgeleerden aanglijden. Rechters, advocaten, griffiers, officieren van justitie en waarom zitten die in een arrenslee? Omdat de wereld wit is, de aarde is goed, de dieren en planten zijn goed en het weer is goed, alle regen en stormen ten spijt, de natuur is zoals zij wezen moet, de natuur is goed. Het zijn alleen de mensen die verkeerd zijn. De mens is slecht.

De mens is goed, maar hij is slecht. Hij is goed van voren en hij is slecht van achteren. Daarom heeft hij, anders dan de paardebloem, of het paard, een voorkant en een achterkant. En de voorkant laat hij zien en de achterkant laat hij niet zien.

De voorkant is wit, die mag gezien worden.

De achterkant is zwart, die mag niet gezien worden.

Daarom zijn de rechters, de advocaten, de officieren enzovoort in het zwart gekleed. Middenin het goede leven zijn zij door het slechte omringd. Zij reizen door de zwarte nacht van het kwaad en het enige wat hen ervan onderscheidt is het befje, dat is wit.

Een mooie groepsfoto, al die magistraten in functie.

Daar heb je, jongen, straks allemaal niets meer mee te maken...

En zo, op voorspraak van een Nederik, kan Johan de toekomst met vertrouwen tegemoet zien. Hij is een pulchinel, zijn leven hangt aan verschillende zijden draadjes. Het is allemaal maar tijdelijk. Straks hangt zijn leven aan geen enkel draadje meer en is hij vrij.

De maan schiet als een kogel door de nacht.

Symbool van zijn verlangen. Hij kijkt naar de maan en Barbara kijkt naar de maan en zo zien ze elkaar.

De maan, hoe wisselvallig ook, staat altijd met zijn gezicht naar de aarde.

Het feest ging intussen door. Eefje: 'Johan heeft nu een grote bek. Morgen is hij weer zielig. Maar wij zijn niet van de liefdadigheid, dat moet hij goed begrijpen. Ik ben de laatste tijd aan werken niet toegekomen [...] Toen het lijk boven water kwam... Alle ogen waren gericht op Johan – die de benen nam. Hij heeft later bekend. Dat moet een opluchting geweest zijn. En nu dit. Heeft-ie het opeens misschien weer niet gedaan. Of: het is niet bewezen dat hij het gedaan heeft, hoe kunnen wij dat bewijzen? Daar zal een hoop van onze tijd in gaan zitten en ik ben dat eigenlijk niet van plan. Hij zal willen dat wij hem serieus nemen. Hij leidt het onderzoek, zegt hij. Nou, wat mij betreft, ik geef de voorkeur aan de gek van vroeger. Maar dat staat de hedendaagse moraal niet toe. Ik heb een afschuw van de hedendaagse moraal, weet je dat?'

'Gelukkig is er het DNA-onderzoek,' stelde George vast. 'De moderne vingerafdruk. De advocatuur is tegen. De advocatuur is tegen elke moderne techniek, behalve als ze in handen is van hun cliënten, dan heet het speelgoed. Dan maakt het deel uit van de integriteit van hun lichaam. Het is waar. Criminelen zijn kinderen. Maar ik zeg, wie niet horen wil moet maar voelen. Trouwens, wat is dat eigenlijk, DNA. Een molecuul?'

'Vergissingen zijn uitgesloten,' zei Eefje. 'De kans op een

fout, heb ik gelezen, is één op een miljoen. Dat noem ik nog 's vooruitgang.'

'Ja, zelfs één op een miljard.'

'Hoho,' zei Felix. 'Er zijn nog allerlei haken en ogen. Want hoe weten we dat niet de flesjes zijn verwisseld? Dat weet je in elk geval minder zeker dan dat 2 x 2 gelijk is aan 4. Hóé zeker weet je dat? Hoe groot is de kans dat justitie geen fouten maakt?'

'Jammer dat Johan er nu vandoor is,' zei Eefje. 'Die zou dat even voor ons kunnen uitrekenen.'

'Hij verleent medewerking aan elke vorm van onderzoek,' zei Roetie, 'en ik kan je verzekeren dat dat een grote aanslag is op je integriteit als mens.'

'De nagelrand die hij afknipt,' zei Eefje, 'mag je die nog gebruiken?'

'Mag je een boek lezen bij een kaars die op de sabbat is ontstoken?'

'Kan, wat je bij verboden kaarslicht leest, wel waar zijn?'

'Zet ze met een pincet achter slot en grendel,' zei Roetie, 'en je hebt de illusie dat de straf die je hebt toegekend een humane, bijna papieren straf is. Nou ja. We zullen zien. Zijn we solidair?'

'Met wie? Met Johan? Met de haar die hem wordt gekrenkt?'

'Stel hij verliest een haar. Mag je die oppakken en zeggen, deze haar is van Johan?'

'De voetsporen die hij achterlaat. Mag je die gebruiken als bewijs? Als die naar Barbara voeren, mag je dan zeggen, deze voetsporen voeren naar Barbara?'

'Johan E. Mag zijn naam worden gebruikt? Mag zijn naam tegen hem worden gebruikt?'

'Is een bewijs verkregen uit evidentie goed genoeg, of moet hetzelfde óók nog op een andere wijze worden aangetoond?'

'Kunnen twee bewijzen elkaar tegenspreken?'

'De leugen wordt niet zelden gesteund door de waarheid.'
'Niet alles wat hij zegt is onwaar, dat is waar.'

De wereld, verlicht door de duisternis van de bioscoop.

Het was een grote zaal, met maar weinig mensen. Niet meer dan twintig bezoekers, hoofdzakelijk jongelui. De film was spannend genoeg. Men hield zich koest en dat Johan er zat, vooraan, de enige in de lege rijen, was niet verdachter dan de aanwezigheid van de rest.

De hoofdpersoon, een zekere Stanley, is betrokken geweest bij een moordpartij op een jong stel. Hij is gepakt, hij ontkent zijn aandeel niet. Hij is een terrorist op zijn manier, een would-be fascist en zegt, schiet mij maar dood.

Moraal: de doodstraf is niet verschrikkelijk of, althans, hoeft het niet te zijn. Wel liet de film hem, Johan, terwijl hij door de gangen naar buiten liep, zitten met de vraag of hij zover zou komen: dat hij zijn volle schuld zou durven erkennen en daarmee betalen met zijn leven, of, als het leven hem te lief was, zou hij dan alsnog zijn schuld proberen te ontkennen of op z'n minst bagatelliseren? Zou hij in waarheid sterven of in leugens blijven leven? Zou hij, na alles, een waardig of een onwaardig leven hebben geleid?

Als hij koos voor het tweede, hoefde hij niets te doen. Zelfs niet te kiezen. Je blijft zitten waar je zit. De waarheid vertellen is moeilijker. Het zou stijl hebben. Men moet er een vorm voor kiezen.

Als hij voor de waarheid koos, zouden de woorden eenvoudig zijn.

Voor het beantwoorden van morele vragen heeft de gelovige meer ruimte tot zijn beschikking dan de ongelovige. Bij het oplossen van levensvragen kan hij altijd de dood betrekken. En het hiernamaals. Alsof hij, voetbal spelend, ook de ruimte achter het doel mag gebruiken om doelpunten te maken. De ongelovige kan dat niet, en wil dat ook niet.

27

Er was niet met stenen gegooid, die nacht, en Roetie maakte zich extra mooi. Die had haar afspraak.

De middag was leeg als een zondag. Johan nam de verkeerde bus en kwam terecht op het Centraal Station. Hij kocht een krant die hij zonder ook maar de koppen te lezen in z'n zijzak stak. Hij nam de verkeerde trein en reed naar Rotterdam.

Rotterdam is ver weg. Voor wie woont en werkt in Leiden, daar zijn boodschappen doet en zich voor zijn toneelvoorstellingen en muziekuitvoeringen aangewezen voelt op Den Haag of Amsterdam, is Rotterdam 'een andere wereld', daar komt hij nooit. Maar dat was niet de oorzaak van Johans onrust.

'Rotterdam' – hij dacht daarbij aan platgetreden puinvlakten, doorsneden door diagonale voetpaden, aan het bombardement van 1940... Nu liep hij op het Weena en het kon New York wel zijn, al die hoge kantoorgebouwen. Hofplein: hoge, welvarende fonteinen en de Heemraadssingel: een groene grasstrook die de ruimte gaf aan de meest uiteenlopende kunstwerken. Meestal gunde Johan zich geen tijd voor dit soort manifestaties die hij graag gelijkstelde aan 'de commercie', maar omdat hij vrij was, kocht hij nu een toegangskaartje en een catalogus. Hij betrad het terrein met het gevoel na lange tijd weer 's ter kerke te gaan.

Het eerste beeld dat hij zag was meteen al van Zadkine. Die kende hij wel. De Verwoeste Stad. Dit was niet de Verwoeste Stad, maar het Forêt Humaine. Hij keek in zijn boek om te lezen wat hij zag: kubisme. Zadkine, met zijn mooie beelden, was zijn leven lang kubist geweest. Ja, dacht Johan, als ik beeldhouwer was, of schilder, dan zou ik ook een kubist zijn.

Trouwens, was Léger niet ook een kubist? Die Léger was verrekte goed en ook bij deze man dacht Johan: zo zou ik het nou ook doen. Die kleuren. Vervolgens liep hij twee werken voorbij die hij niet gemaakt zou willen hebben en stuitte toen op een beeld van Niki de Saint-Phalle–altijd prachtig natuurlijk en toen, omhoogkijkend naar het kolossale beeld, stelde hij vast hoe makkelijk de leek zich vereenzelvigt met het werk van bekende kunstenaars–is dat omdat de grootste kunstenaars ook juist door de commercie de grootsten geworden zijn?

Hij stond voor het Pavillion van Max Bill. Nooit van gehoord, van die man, en toch een mooi strak ding. Zou 'k ook zo doen. Dubuffet, ook een bekende... Enzovoort. Als je het ziet, denk je: ja, natuurlijk. En toch verschillen al die kunstenaars met hun producten van elkaar, zoals bloemen van elkaar kunnen verschillen. Een paardebloem van een geranium van een tulp van een roos. Zo vanzelfsprekend is hun bestaan in de wereld dat je je haast niet kunt voorstellen dat ze ooit, nog niet zo langgeleden, niet bestaan hebben–ook niet in de geest van de mens.

Kunstenaar is hij die de gevoelens van de toeschouwer vertolkt. Vraag is: waar komen die gevoelens vandaan. Johan liep over de kunstallee van Rotterdam en zag toen, niet eens tot zijn verbazing, bevestigd wat hij misschien al vermoed had (je wist niet dat je het vermoedde, totdat je het ziet): dat de koe van Eefje een kopie was. Hier stond de echte. Hij liep er omheen. Pierre d'Arneville, geboren in 1913, *Cosmos* II. De schonken, de krachtige reet tussen de hoge poten en de foetus die, opgehangen in de buik aan twee draden, schommelde is te veel gezegd, heen en weer bewoog in de namiddagbries. Het aluminium zonlicht... Hoe oneindig veel spiritueler (én lichamelijker) was dit beeld dan het kreng dat Eefje in haar atelier had staan.

'Ik heb het allerwaardelooste haar,' riep het meisje, plukkend aan haar pieken, maar het was tenminste haar eigen haar.

28

'Straffen? Straffen kunnen we niet meer. Straffen,' citeerde Eefje, 'doen we met afgewend gezicht.' Ze haalde Euripides erbij, Elektra. 'Nadat Orestes zijn moeder Klytaimnestra heeft vermoord, verdedigt hij zich door te zeggen dat hij haar vermoordde met de mantel voor zijn ogen.'

'Orestes nam geen wraak,' zei Felix, 'hij was de geautoriseerde beul, met op de achtergrond Elektra als Vrouwe Justitia.'

'Straffen kunnen we niet meer. Daar schamen we ons voor.'

'Er zijn redenen...'

'Natuurlijk,' zei Roetie. 'En welke die redenen zijn laat zich raden – als je het zakelijke en het persoonlijke niet uit elkaar weet te houden.'

'De kwestie is: wij brave burgers zijn niet meer tot vergelden in stáát, technisch niet en moreel niet. Níét op persoonlijk initiatief.'

'Wat zeg je?'

'Gotver, luister dan. Ik zeg: schááм je desnoods voor wat je doet. Maar doe het. Straf. Durf te straffen. Beter dan dat je er maar van afziet. En de moordenaars laat lopen.'

'Helemaal mee eens,' zei Felix.

'Ik weet niet,' zei Roetie peinzend, 'waarom zou je een moordenaar niet laten lopen...'

'Maar zelfs dan. Vroeg of laat lóópt hij weer op straat.'

'Het principe is: straf.'

'De vraag is, straf je hem niet méér door hem de straat op te sturen?'

'Dat is het probleem,' vond Johan. 'Hoe wordt iemand gestraft voor zijn misdaden, als hij niet wordt gestraft vóór zijn dood? Hoe wordt iemand na zijn dood gestraft? Als er geen nabestaan is, dan wordt hij misschien in het geheel niet gestraft. Zo iemand kan menen dat hij in het geheel niet schuldig is. Immers, was hij schuldig, dan zou hij gestraft worden. Geen schuld zonder straf, luidt de regel, de regel van Felix, die zijn wortels heeft in het vitalisme – alles wat fout is wordt afgestraft, ook als het niet duidelijk is wie de schuldigen zijn.'

'Ik geloof daar niet in,' zei Roetie. 'Als je niet weet wie de schuldigen zijn, kun je niet straffen. Ik geloof in een rechtvaardig universum.'

Johan: 'Ik heb sterke redenen te geloven in een hiernamaals.'

'Dan heb je nauwelijks nog een argument om voor de doodstraf te zijn,' zei Eefje, *a copy of* d'Arneville.

Johan zweeg.

'Elk beschaafd land is tegen de doodstraf,' wist Roetie.

'Zelfs België,' zei Felix. 'Toen in dat land vorig jaar de doodstraf werd afgeschaft, heb je het gezien?, werd dat besluit onderstreept door een klaterend applaus van de bewindslieden zelf. Ik heb toen gedacht, door welke duistere machten worden we geregeerd, als men een besluit neemt en daarvoor vervolgens zelf in de handen klapt?'

Weer vloog er een steen door de ruiten.

'Het heeft geen zin,' zei Johan, 'morele uitspraken te doen als ze niet zijn geformaliseerd.'

'Het is wat Johan zegt,' zei Roetie.

'Men denkt,' ging hij voort, 'dat gevangenisstraf een humane straf is. Ik ben daar na alles niet zo zeker meer van en de zogenaamde tegenstanders van de doodstraf, die een gat in de lucht springen als iemand levenslang krijgt – wat zijn dat voor hufters?'

'Het leven is ernstiger dan je denkt,' zei Eefje.

'Ik zal jullie wat laten horen,' zei Johan.

Hij stond op en kwam terug met een krant die hij openvouwde. Hij ging zitten en las voor: 'Kop. Amerikaanse is dood niet gegund. Over het geval García. Guinevere García, een moordenares (van haar man en kind), die,' las Johan voor, 'keer op keer had laten weten de voorkeur te geven aan de dood boven een lang leven in de gevangenis. Laat me met rust. Blijf uit mijn leven, zei ze vorige week tegen Eileen Ramsey die actie voert tegen de doodstraf. Ik heb deze misdaden begaan, ik ben er verantwoordelijk voor. Ik respecteer de beslissing van het opperste gerechtshof van Illinois. Ik ben geheel bij mijn verstand en wijs het recht om in beroep te gaan van de hand. Maar gouverneur Edgar zwichtte voor de druk van de activisten. Zij, verklaarde Edgar, verdient het niet ooit nog op vrije voeten te komen, maar ik vind de doodstraf voor haar niet op z'n plaats.'

Hij keek de kring rond.

'Walgelijk, niet?'

'Maar grote blijdschap,' ging hij verder, 'grote blijdschap bij de mensenrechtenstrijders die in gejuich uitbarstten. Arme Guin. Ik vind,' zei Johan, terwijl hij de foto's van Guin liet zien (jong vrouwtje, grote bril, paardenstaartje, van opzij en van voren) 'ik vind dat ieder mens het recht heeft op zijn eigen dood.'

'Maar als het geen zelfmoord is,' zei Felix, 'wie is dan de beul?'

'O, zit je daar mee. Ik weet het niet. We hebben allemaal onze eigen edele gevoelens. Maar een belangrijk deel ervan moet nog ontgonnen worden. De meeste mensen denken dat ze goed zijn. Hun gevoelens zijn eindgevoelens. Ze denken dat wat goed is altijd goed blijft...'

'Dat begrijp ik niet,' zei Felix.

'Ik wel,' zei Eefje.

'Denk erom,' zei Johan, 'na vier, vijf jaar cel is een mens aardig verkreukeld, en die kreukels gaan er niet meer uit. En dan loopt hij op straat, dan is hij vrijgekomen zogenaamd. Hij heeft zijn straf uitgezeten, zijn teller staat op nul, denkt hij, schone lei. De eerste stappen in een kreukvrij bestaan, denkt hij.'

[...]

'Hij neemt de cel en de tralies en het slot met zich mee. Een en al wrok. Het houdt hem overeind, wat denk je.'

'Nu ben ik de gevangene van mezelf,' zei de landelijk beruchte Klaas ten Y., kortgeleden in vrijheid gesteld.

'Wie ooit gezocht werd als misdadiger, WANTED, kan na zijn gevangenschap te horen krijgen dat hij NOT WANTED is en worden gedwongen zijn biezen te pakken. Gedoemd tot vrijheid. Mag niet meer wonen waar hij wil. De ongelukkige is gestraft met een levenslange ballingschap.'

Klaas ten Y.: 'Eigenlijk begint de straf pas op de dag dat je vrijkomt.'

'Dat is precies wat ik ook voel,' zei Johan.

'En je bent niet eens schuldig,' zei Roetie.

'Dat ben ik natuurlijk wel. En híj heeft zijn straf nog uitgezeten. Ik niet.'

Ze zaten tegenover elkaar aan tafel, een paar lege wijnflessen tussen hen in.

Roetie glimlachte. 'Verlang je nog wel 's naar vroeger?'

'Welnee. Vroeger, dat is nog geen jaar geleden. Toen was ik nog een kind. Geen benul, van niks. Nu voel ik dat ik leef. Het begint te dagen. Ik verlang naar morgen. Wanneer alles voorbij is.'

Roetie stond op en liep de kamer uit.

Ze kwam terug met een nieuwe fles. 'Zalig,' zei ze, 'om weer eens met ons tweeën te zijn. Maar goed. Geloven is weten, dat begrijp ik. Maar hoe wéét jij eigenlijk dat er een God bestaat?'

'Ik heb hem wel 's aan de deur. En laatst liep ik hem tegen het lijf op het station.'

'En dan heb je een gesprek met hem?'

'Ja, we hebben altijd wel even tijd voor elkaar.'

'Is hij op de hoogte? Heeft hij kijk op het leven van alledag?'

'Niet echt. En dat is een bezwaar. Maar hij gaat de volgende week op een cursus.'

Ze glimlachte. Hij ook. Als mensen die elkaar eindelijk leren kennen. Ze schonk beider glazen in.

'Hou je nog van Eefje?'

'Nee, dat is voorbij.'

'Heeft zij ooit van je gehouden?'

'Nee.'

'Wie houdt er wél van jou?'

'Jij.'

'Wie nog meer?'

'Barbara.'

'Die moet jou toch haten?'

'Dat dacht ik ook. Maar in het rijk der doden, Roet, heersen wetten die wij niet kunnen bevatten. Ik geef er graag aan toe. De maan rolt met mij mee over de velden, dood en wit, maar zonder haat. Barbara is zonder haat.'

'Je vertelt me veel nieuwe dingen.'

'Op je sterfbed,' zei hij later, 'heb je graag je laatste brief gepost.'

29

Van de duizenden, tienduizenden die met een spandoek lopen en aandacht vragen voor hun zaak, is Barbara er één. Ze vraagt aandacht voor zichzelf. Geen spandoek, maar een bord, gespijkerd op een bezemsteel, of de steel van een hark: IK BEN BARBARA. Tienduizenden en het zijn er nog veel meer, omdat ze door de telelens, hoewel dichterbij, verderweg lijken, want op afstand gehouden. Stevig marcheren ze voort, de verlorenen. Ze vorderen langzaam.

Vroeg of laat krijg je elkaar in het oog. Hij zat op het terras voor het Centraal Station. Hij deelde het tafeltje met een serveerster, die hem zojuist een flesje tonic had voorgezet, met een glas en een schijfje citroen en een stampertje. Ze zat op één bil, want in verboden tijd. Ze boog zich naar hem over en fluisterde: 'Heb je spijt?'

'Spijt? Voorzover ik een deel ben van de omstandigheden en gebeurtenissen,' antwoordde hij, 'kan ik er evenmin spijt van hebben als van een zonnesteek of een glad wegdek. Motief en handeling zijn,' – en het klonk alsof hij het uit het hoofd had geleerd – 'motief en handeling zijn niet onafhankelijk genoeg van elkaar om in een normaal causaal verband gebruikt te worden. Er is dan geen oorzaak aan te wijzen, maar ook geen reden, en dus is er geen spijt. Ik kom er niet achter.'

'Je moet goed begrijpen,' zei ze, 'dat ik van jou en van geen ander, het diepste oordeel verwacht. Als je zegt dat je spijt hebt, ben je niet meer dan een ongeluk. Je bevestigt dat. Liever zou ik horen dat mijn dood geen ongeluk was, maar een zet. Een offer, dat hoor ik liever. Als ik gesneuveld ben, is dat tenminste eervol en daar kunnen we over praten, dat is diep. En als je nog steeds een beetje verward bent omdat je niet precies weet wat er is gebeurd – maak er dan een verhaal van, een romance. Alsjeblieft. Dan vlecht ik mijn verhaal daar doorheen. Ook als je mijn gezang niet hoort – jouw gezang breekt door elke spiegel, dat hoor ik wel. Ook al zie je mij niet, jou zie ik wel. Op die manier krijg ik alles, en jij krijgt de helft. De dood is rijker dan het leven. Wij doden zwemmen moeiteloos door jullie heen. Maar jaloers ben ik nog steeds. Die krullen op je mooie hoofd, die heb je door mij. Kom, Romeo, schrijf een romance, héb het 's over mij.'

'Haar leven was het mooiste, het hoogste dat er was. Wie dat heeft weggenomen verspeelt zelf het recht op leven.'

Een ongewoon vonnis, maar Johan had er wel oren naar. Het appelleerde aan zijn gevoel voor schoonheid. Morele schoonheid. 'n Zeldzame plant.

Waarom zou men niet een zeldzame plant zijn? Aan de waterkant. Even verderop begon het paradijs.

Op de dijk stonden twee oude mannen, allang dood. Zij vroegen zich af waar het hek was gebleven. Zij hadden, om de koeien hun plaats te geven, in het begin van de eeuw een hek geplaatst en nu was het verdwenen.

'Het was een mooi hek,' zei de ene man. 'Van een oude dissel. Ik heb het regelmatig een verfje gegeven. Daar nam je de tijd voor. Ik keek graag uit over het water.'

'Klopt,' zei de kleine man. 'Het hek weet ik nog, maar niet dat het was geschilderd of zo. Ik heb het nooit onder handen gehad.'

'Het was secuur afgehangen,' zei de lange, 'één tikje en het viel in het slot. Het is jammer dat zulke dingen verdwijnen.'

'De koeien hebben een andere plek gekregen,' zei de kleine. 'Ja, nou ja,' zei de lange, 'dan geeft het ook minder. Het werd niet meer gebruikt en dan verdwijnt het.'

Hij keek in de verte. 'We worden oud,' zei hij, 'dat is jammer.'

Hun stemmen stierven weg, ook hun gestaltes.

Johan wachtte nog een tijdje, maar er kwam niemand meer voorbij.

30

George knipte de portieren op slot. 'Onze chauffeur,' grinnikte Johan. Ze liepen over de klinkers naar het strand – het laatste duin op. Het waaide flink. Zwarte wolken kwamen opzetten uit het zuidwesten. Het vroor niet en het was een losse wind. Geen ritsen omhoog tot de kin. Ze lieten de jacks los.

De zon scheen met zijn laatste stralen scherp over het kale strand. Ver weg, boven de stad, kwamen telkens vuurpijlen tot ontploffing. Eefje wierp haar armen omhoog en riep uit dat ze zich zeventien voelde. Ze kreeg bijval van Johan, die 'voelde wat ze bedoelde'. 'Nou,' zei Felix, 'dan voel jij ook 's wat.' 'Het is inderdaad,' zei George, 'inspiréérend weer.'

Zo zei iedereen nieuwe dingen.

Felix liep met een rugzakje – nog nimmer vertoond. Hij zette de pas erin, want hij wilde bij Eefje zijn en Eefje was vooruitgevlogen. Eefje stond stil, de armen weer gespreid. Ze stond op de top van de wereld. Roetie zag dat, en ze zag Felix op haar toelopen en ze dacht aan de witte schotel waarop kruiselings bestek – daar kon ze even niets aan doen. 'Soep met balle,' riep ze, uitbundig op haar manier. 'Soep met witte balle!'

Johan liep hogerop, door het mulle zand van de duinen. Hij trok zijn lange benen achter zich aan. Hij had een stok gevonden en dat gaf hem kracht, op een of andere manier. Later daalde hij af en voegde hij zich weer bij de rest.

Ze liepen naar het zuiden en zagen op de horizon zwartblauwe kastelen waar nog steeds het zonlicht doorheen sneed. 'Ter wille van ons,' meende Felix, 'want ginds schijnt hij niet meer, hij kent ons, hij weet wie wij zijn.'

'Waar hij schijnt,' zei Johan, 'daar is de zon.' En even later:

'Als je bedenkt hoe snel de aarde om de zon heen vliegt...'

'Hoe snel is dat dan,' vroeg Felix.

'Dertig kilometer per seconde.'

'Voor de aarde is dat niks,' meende Roetie.

'Ik hou niet van getallen,' zei Eefje.

'En daarin,' zei George, 'was ze een echte vrouw.'

'George jongen,' zei Eefje, 'ik ken meer getallen dan jij, maar ik vind ze afschuwelijk. Kijk mensen, wat daar aankomt.'

Een huizenhoge zeilwagen, die geruisloos over het natte strand hen voorbij wielde. Zoiets als een ligfiets, meende George, maar dan voor reuzen.

De zon was ondergegaan. Ze liepen de grotten van de hemel in. En uit. De wolken vlogen over hen heen. Opgejaagd door de lichten van de vuurtoren. Daaraan zie je dat het donker geworden is. Niet direct door de avond die valt, maar door de lampen die zijn gaan schijnen.

Het was een vrolijke tocht. De sterren, koepels, spiralen waren overal. Er liepen meer mensen die de drukte van de stad waren ontvlucht en het begin van het nieuwe jaar wilden doorbrengen in een zuiverder omgeving.

Voorop liepen de kolossale George en de kleine Roetie, de armen om elkaars middel. Daarachter Felix en Eefje, hand in hand, die ze nu en dan hoog deden opzwaaien. En daarachter, in zijn eentje, Johan. Die zwaaide met beide armen tegelijk. Zoals een vrouw kan doen. Of een kind. Het is namelijk niet mannelijk. 'n Jonge vrouw, in de bloei van haar leven. Zo voelde Johan dat hij liep. In de bloei van haar leven. Hij ging langs de waterlijn, viste schelpen op en stukken hout – om ze ver de zee in te gooien en hij liep weer verder. Holde, om bij ze in de buurt te blijven, de geliefden die zijn vrienden waren. Hij riep ze grappen toe – om achter te kunnen raken zonder dat ze direct gealarmeerd zouden zijn.

Ze liepen voort, de zon achterna, de duisternis tegemoet. Het strand was grijs, en glom. Er liep geen mens meer, alleen zij, met hun vijven. De nacht was van hen, zij deelden de lakens uit. Er kwam een volle maan op die telkens werd uitgewist. Voorop liepen Eefje en Felix, pink aan pink, een jong, nieuw paar. Achter hen liep Johan. Achter Johan liepen George en Roetie en alle vijf keken ze naar de branding, die telkens met zoveel geraas over zichzelf heen viel dat een gesprek bijna onmogelijk was.

Eefje nam haar geliefde aan de hand mee naar links, naar de duinen. Het gemakkelijke lopen was gedaan. Men ploegde als werkpaarden door het rulle zand naar boven waar tussen twee duintoppen in, overgroeid door wuivende helm, zich een restaurant verborgen hield. *De Smokkelaar* – in rood neon. Het was een oude bunker, de entree was een onromantische rechthoek, waarachter een tweede rechthoek, afgesloten door glas.

Eefje keek om: of iedereen was meegekomen, en liep naar binnen. De glazen deuren weken. De anderen volgden snel, voordat ze door de dichtschuivende deuren zouden worden buitengesloten. Er stonden vier tafels, er waren geen gasten. Misschien bleven ze wel de enigen. Hun gastheer, een lange, slanke Aziaat, nam hen mee naar de tafel achterin. Het bordje GERESERVEERD nam hij bij zich, dat had zijn dienst gedaan. De tafel stond met zijn korte eind tegen de muur. George ging aan het hoofd zitten. Links van hem vonden Roetie en Felix een plaats, rechts Johan en Eefje, *a copy of* d'Arneville.

Felix bestudeerde de wijnkaart, Roetie kreeg een menukaart ter grootte van een vierkante meter. De anderen ook. Er werd gekeken en gekeurd. Het heerlijke moment dat nog van alles mogelijk is. Even later worden de bestellingen geplaatst, de kaarten weer ingenomen en ieder is veroordeeld tot de keus die hij heeft gedaan.

George zat met het aperitiefje voor zijn neus, een kabouterglas met twee centimeter sherry. Eefje vond het 'een aanfluiting, voor een kerel van honderd kilo'. 'Alles is goed,' zei George, 'voor een slecht mens' en hij sloeg het glaasje achterover. 'Hier,' zei Roetie, 'neem dit van mij ook maar, ik hoef die kattenpis niet.' Felix had de wijnkaart bekeken, een keus gemaakt, een eenvoudige Riesling, en mocht die even later – het glas langs zijn neus gestreken – zelf proeven. Die man leent zich voor iedere flauwekul, dacht Johan.

'Ik weet niet,' zei Roetie, 'of ik het wel met je eens ben.'

'Hoezo,' zei George, 'wat heb ik gezegd.'

'Dat voor een slecht mens alles goed is.'

'Wat dacht jij dan?'

Tijdens het diner liet Eefje onder de tafel haar voeten vrijen met die van Felix, waarna ze haar jasje uitdeed. 'Siena,' verzekerde Roetie, 'is voor mij de absolute stad. De absolute stad.' 'Aan Italië,' zei George, 'bewaar ik zulke goede herinneringen, daar hoef ik niet nog 's weer heen. Hoe vind je die.'

Eefje vertelde het verhaal van Iphygeneia, die, gered van een offerdood door Artemis, door de godin werd meegevoerd naar het eenzame Tauris, waar ze werd aangesteld als priesteres over haar tempel. 'Daar,' vertelde Eefje, 'gaf de koning haar de opdracht vreemdelingen die in Tauris kwamen, te offeren aan de godin. Zo voltrok zij, begrijp je, aan onschuldige mensen het offer waar zijzelf voor gespaard was...'

Felix veegde zijn mond af. 'Je zult met me eens zijn, lief, dat dit soort verhalen thuishoort in de rubriek intellectuele smalltalk.'

Eefje stak een lelijke tong naar hem uit.

'En dan te bedenken,' zei Roetie, 'dat we hier met ons zessen hadden kunnen zitten.'

Iedereen dacht nu aan Barbara.

'Van wie kwam eigenlijk het idee dat ze in Amerika zou zitten?'

Roetie keek naar Felix.

'Arme meid,' zei Eefje, 'niemand die haar mist.'

Felix protesteerde zwak, maar toen George hem vroeg waarom hij haar 'vermissing' nooit had aangegeven, legde hij mes en vork neer om te zeggen, dat dit niet op zijn weg lag. 'Ik ben niet degene die haar het laatst heeft gezien.'

Eefje en Felix keken elkaar aan. Gingen ze elkaar nu beschuldigen? Nee, dat was niet wat ze in elkaars blik lazen. Wat ze lazen, in elkaars blik, was solidariteit.

Er kwam een meisje binnen, met een roos. Te koop. Ze hield hem Felix voor z'n neus. Die schudde kort en nijdig van nee. De anderen ook niet? Wilde George, of Eefje, of Roetie, of Johan, wilden ze allemaal geen roos?

Ja, Johan wilde een roos. Hij reikte met zijn blik, zodat ze naar hem toe kwam en hij de roos kon zien die hij hebben wou. Niet een roos half nog in knop, maar de volste en de grootste. Niet een roos voor morgen, maar een roos voor nu en ze trok hem voorzichtig uit het boeket. Ze voegde er een takje groen bij, wikkelde de stelen in zilverpapier.

'Dat is twee gulden, meneer.'

Hij betaalde met een rijksdaalder. De twee kwartjes die ze hem teruggaf liet hij haar houden. Hij ontving de roos, ging staan en offreerde hem – gelukkig niet aan Eefje, maar aan de vrouw die tegenover hem gezeten was, zijn wettige echtgenote.

'O, wat lief van je.'

Hij lachte haar toe, ging zitten en boog zich over zijn cordon-bleu, vervolgde zijn maaltijd, om haar blijdschap niet te zien.

Het meisje was vertrokken en het was stil. George dacht, waarom was ook ik niet zo galant om een roos te kopen? Maar aan wie had ik hem moeten geven? Niet aan Eefje, niet aan de vrouw met wie ik permanent ruzie heb, want dat zou verkeerd zijn uitgelegd. Aan Roetie dan, mijn geliefde? Dan zou die er twee hebben. Dan zou het lijken of wij rivalen waren, Johan en ik, en dat zijn wij allerminst. Dus George was tamelijk ongelukkig. En Felix dacht, wat had ik ter wille van het gebaar graag een roos gekocht, voor Eefje – wat een gemiste kans!

Nee, geen gemiste kans. Ze waren hier bijeen voor een belangrijke beslissing, die dreigde te worden doorkruist door de sentimentele aankoop van rozen. Felix prikte in zijn sperziebonen, at ze, maar keek ondertussen naar zijn tafelgenoten om de stemming te peilen: zijn wij zover?

Het hoofdgerecht had goed gesmaakt, men veegde zich de mond af, de borden werden weggehaald.

Het was stil, niemand zei een woord en dat kon betekenen dat ze 'zover' waren.

George had nieuwe wijn besteld. Nee, niet de wijn die hem voorgehouden werd, maar een fles champagne die hij keuren moest en hij keurde deze fles goed. Er kwamen vijf fluiten op tafel. De kelner beijverde zich de kurk, omzwachteld en voorzichtig – 'laat maar knallen', beval George en de kurk knalde tegen het plafond. De glazen werden gevuld en vijf mensen zouden het glas heffen op het geluk van twee maal twee.

'Schat, mijn beste wensen voor het nieuwe jaar.'

'Liefje, dat je dit jaar maar heel gelukkig mag zijn. Dan ben ik het ook.'

'Johan,' zei Eefje, 'mag ik je iets intiems vragen?'

'Ga je gang.' Hij had het glas neergezet. Nieuwsgierig.

'Hoe voel je je?'

Het heelal hoorde toe, de hand achter het oor, om te verstaan wat hij zei: 'Goed. Ik heb het gevoel dat ik ontkomen ben. Ik leef.'

'Ontkomen aan wie?'

'Aan jullie.'

'Nogmaals,' kwam Felix tussenbeide, 'besef je dat jij degene bent die als laatste haar heeft gesproken?'

'In elk geval,' zei Eefje, 'is Johan de spelbreker. Het had zo idyllisch kunnen zijn.'

'Hij is tenminste eerlijk!' riep Roetie.

'De gifbeker,' zei Felix, iedereen op zijn beurt aankijkend, alsof hij dit voorstel nu ter stemming bracht.

Johan grijnsde. 'Ik geef toe dat ik het laatste jaar erg asociaal geweest ben.'

'Een bederver van de jeugd,' zei George.

'Er is geen jeugd,' zei Felix.

Johan. Hij erkende zijn schuld. Maar dat hield niet in, zei hij, dat hij de volgende keer, in dezelfde omstandigheden niet opnieuw... Spijt had hij niet.

Hij lachte als iemand die iets niet begrijpt.

'Jongen,' zei Roetie, 'ik hou van je.'

'Ja, laten we het daar 's over hebben.' Johan lachte, naar de anderen.

'Als het waar is wat je zegt,' zei Felix en hij keek naar Eefje, naar George, naar Roetie en tenslotte naar Johan, 'en ik ben bang dat we je moeten geloven...'

'... dan?'

'Dan denk ik dat ik namens de meerderheid spreek, als ik zeg, dat we je gezelschap niet langer op prijs stellen.'

'O,' zei Johan, 'zijn we al zover gevorderd.'

Zijn antwoord was snel geweest. Een luchtige toon – omdat hij dat oordeel wel verwacht had. Deze veroordeling echter niet. Tranen sprongen hem in de ogen, maar de kraan van het in-huilen-uitbarsten was snel dichtgedraaid. Niets aan de hand.

George bekeek zijn vingers. Roetie, wanhopig: 'Is er niet een andere weg?'

Felix helde achterover. De kelner schoot toe en Felix fluisterde in 's mans oor een nieuwe bestelling – wat enige toelichting behoefde, en uitleg – tot de man het begreep.

Eefje wilde laten zien hoezeer ze – 'typisch Eefje, hè?' – in staat was de dingen luchtig op te vatten en vertelde een nieuwe mop van Sam en Moos. George snapte het niet meteen, dacht dat er nog wat kwam, maar de anderen begroetten de grap met een wrange glimlach.

De kelner kwam binnen met een dienblad op schouderhoogte en daarop een fles. Hij zette de fles voor Felix neer, met een groot cilindervormig glas erbij. Felix hief zijn hand en dirigeerde de fles naar waar hij wezen moest. De fles was voor Johan en het glas ook.

Johan zag dat zo aan en zei, tegen de kelner, Plato citerend: 'Nu meneer, u hebt verstand van deze dingen. Wat moet ik doen?'

De kelner opende de fles en schonk het glas vol. Het was een heldere, kleurloze vloeistof, maar niet helemaal zo helder en kleurloos als leidingwater.

Johan zette het glas aan zijn lippen, nam een slok. Overwoog de anderen die toekeken te vertellen wat het was dat hij dronk: zeewater. Maar hij deed dat niet en dronk verder. Plato beschrijft hoe Socrates de gifbeker leegdronk: 'losjes en kalm'. Johan was daartoe in staat. Door uiterste toewijding slaagde hij erin zijn waardigheid te behouden en het glas, losjes en kalm... leeg te drinken.

Niet elke dood is een waardige dood.

Niet iedereen is de dood waardig.

De zon schijnt.

Het strand is leeg.

Het zand bloeit.

Het ijs is rood.

31

Hij liep langs de uitlopers van de branding die in een brede vloed het zand bevloeiden – zonder ervoor opzij te gaan.

Hij stond met zijn schoenen in het water. Hij was diep in gedachten.

'Dag, Johan.'

Hij keek opzij. Naast hem stond het meisje met de rozen. Zonder rozen. Mijn God! Barbara!

Ze glimlachte. Ze was niet nerveus of gespannen. Hij pakte haar bij de armen. Zo blij was hij dat zij daar stond.

Ze liepen samen verder. 'Fijn dat je wat van me kocht,' zei ze. 'De anderen bleven maar stom voor zich uitkijken. Nee, niet nodig. Ik voelde me zo vernederd.'

'Loop je vaker met bloemen?'

'Alleen als ik jou zie.'

'Dank je voor je attentie. Mijn koersen staan op het ogenblik niet erg hoog.'

'Ik weet het. Je bent de eenzaamste man op aarde. Niemand wil je meer.'

'Klopt.'

Ze liepen hand in hand. De zon was opgekomen en verlichtte de witte ijsrandjes op het strand met een rode gloed.

Ze liepen voort, praatten over de dingen die gebeurd waren en over het feit dat het toeval hun zo welgezind was.

'Komt omdat we van elkaar houden,' zei hij eenvoudig.

'Van elkaar houden?'

'Ja, van elkaar houden.'

'Sommige mensen,' zei ze, 'intellectuelen vooral, kunnen zo zeveren daarover. Ze zeggen dat ze niet weten wat het betekent, houden van.'

'Terwijl het zo gemakkelijk is. Je wilt gewoon altijd bij elkaar blijven.'

'Zou je altijd bij mij willen blijven?'

'Ja.'

'Weet je het zeker?'

'Ja, dat weet ik zeker.'

'Je weet niet wat je zegt,' zei ze en ze sloeg haar armen om zijn nek, zocht steun bij hem om te verbergen misschien dat ze schreide.

Hij voelde zich daardoor wat sterker, bereid om andermaal ja te zeggen en misschien wilde ze dat wel horen.

Ze keek naar hem op en glimlachte. 'Ik heb eens gezegd,' zei ze, 'letterlijk: soms heb ik het gevoel dat ik een even zware misdaad moet begaan als jij, om te bereiken dat je niet bang meer voor me zult zijn. Begrijp je dat?'

'Dat begrijp ik,' zei hij, 'maar vergeet dat gevoel. Dat is verleden tijd, het komt voort uit een tijd die voorbij is. Ik ben niet bang meer voor je.'

'Nee, dat geloof ik. Maar wat gebeurd is is gebeurd, dat draaien we niet meer terug.'

'Weet je nog, ons gesprek bij het station? Dat het geen misverstand is dat ons leven beheerst, maar moedwil? Daarom zou ik willen, zei je, dat mijn dood geen ongeluk was, maar een zet, een offer.'

'Heb ik dat gezegd? Wat mooi. Wat toepasselijk.'

'En wat sterk.'

'Ja, hè?'

Ze stond voor hem, de handpalmen tegen zijn borst.

'Ik zou je graag ten doop vragen. Wil je dat?'

'Ik wil alles wat goed is voor ons beiden.'

'Dan doop ik je,' zei ze.

Ze nam zijn hand en liep met hem naar de vloedlijn, ging het water in.

Ze trok hem mee door de schuimende zee, die reikte tot zijn knieën, tot zijn kruis, tot zijn borst en die weldra in lussen om zijn hoofd spoelde.

Ze liepen onder water, maar niet verder dan nodig was.
Ze stonden stil, in het licht van een gouden koepel.
'De zon is onze getuige,' zei ze.
Ze stond voor hem, nam zijn beide handen. Prees zijn moed...
Hij verdronk.

En toen hij verdronken was, liepen ze weer terug. De zee uit, het strand op, maar niemand die die twee ooit nog heeft weergezien.

'Schat, daar zijn de poorten van het paradijs. Laten we wat gaan eten. Ik rammel van de honger.'

GERRIT KROL

Constantijn Huygensprijs 1986
P.C. Hooftprijs 2001

De rokken van Joy Scheepmaker (roman, 1962)
Het gemillimeterde hoofd (roman, 1967; prozaprijs van de gemeente Amsterdam 1968)
De ziekte van Middleton (roman, 1969)
De laatste winter (roman, 1970)
APPI (essay, 1971)
De chauffeur verveelt zich (roman, 1973)
In dienst van de 'Koninklijke' (roman, 1974)
De gewone man en het geluk of *Waarom het niet goed is lid van een vakbond te zijn* (essay, 1975)
Halte opgeheven (verhalen, 1976)
Polaroid (gedichten, 1976)
De weg naar Sacramento (roman, 1977; Multatuliprijs 1978)
Over het huiselijk geluk en andere gedachten (columns, 1978)
De tv.-bh. (columns, 1979)
Een Fries huilt niet (roman, 1980)
Wie in de leegte van de middag zweeft (gedicht, 1980)
Hoe ziet ons wezen er uit? (essay, 1980)
De schrijver, zijn schaamte en zijn spiegels (essay, 1981)
Het vrije vers (essay, 1982)
De man achter het raam (roman, 1982)
Scheve levens (roman, 1983)
De schriftelijke natuur (essays over kunst en wetenschap, 1985)
Maurits en de feiten (roman, 1986)
Bijna voorjaar (columns, 1986)
Helmholtz' paradijs (columns over kunst en wetenschap, 1987)
De weg naar Tuktoyaktuk (roman & essay, 1987)
Een ongenode gast (novelle, 1988)
Voor wie kwaad wil. Een bespiegeling over de doodstraf (1990)

De Hagemeijertjes (roman, 1990)
Wat mooi is, is moeilijk (essays, 1991)
Oude foto's (verhalen, 1992)
De reus van Afrika (reportages, 1992)
Omhelzingen (roman, 1993)
Okoka's Wonderpark (roman, 1994)
De mechanica van het liegen (essays, 1995;
Busken Huetprijs 1996)
Middletons dood (roman, 1996)
De kleur van Groningen en andere verhalen (1997)
De oudste jongen (roman, 1998)
60 000 uur (autobiografie, 1998)
Missie Novgorod (novelle, 1999)

Over Gerrit Krol

Ad Zuiderent *Een dartele geest,* Aspecten van *De chauffeur verveelt zich* en ander werk van Gerrit Krol (1989)